O melhor dos imprevistos

MARINA CARVALHO

astral
cultural

Copyright © Marina Carvalho, 2021
Todos os direitos reservados à Astral Cultural e protegidos pela Lei 9.610, de 19.2.1998. É proibida a reprodução total ou parcial sem a expressa anuência da editora.
Este livro foi revisado segundo o Novo Acordo Ortográfico da Língua Portuguesa.

Produção editorial Aline Santos, Bárbara Gatti, Jaqueline Lopes, Mariana Rodrigueiro, Natália Ortega, Renan Oliveira e Tâmizi Ribeiro
Preparação de texto Luciana Figueiredo
Revisão Letícia Nakamura
Capa Marina Avila
Foto da autora Thaís Resende

Dados Internacionais de Catalogação na Publicação (CIP)
Angélica Ilacqua CRB-8/7057

C325
   Carvalho, Marina
      O melhor dos imprevistos / Marina Carvalho. — Bauru, SP : Astral Cultural, 2021
      272 p.

      ISBN: 978-65-5566-152-1

      1. Ficção brasileira I. Título

   21-2283
                                              CDD B869

Índice para catálogo sistemático:
1. Ficção brasileira

ASTRAL CULTURAL EDITORA LTDA.

BAURU
Av. Duque de Caxias, 11-70
CEP 17012-151
Telefone: (14) 3235-3878
Fax: (14) 3235-3879

SÃO PAULO
Rua Major Quedinho 11, 1910
Centro Histórico
CEP 01150-030
Telefone: (11) 3048-2900

E-mail: contato@astralcultural.com.br

Para Mr. Write,
meu anjo inspirador.

Prólogo

O que é a vida? Quem nunca se perguntou pelo menos uma vez a cada aniversário? Será que já nascemos com uma espécie de descrição de cargo amarrada ao nosso DNA? Existe destino?

Posso até não ter as respostas certas — se é que elas existem mesmo —, mas prefiro acreditar que a vida vai somando os resultados das escolhas que fazemos, conscientes ou não. Mudar a aparência, escolher uma profissão, viajar, tropeçar numa pedra, bater o carro, ser promovido no trabalho... O que são esses acontecimentos senão as consequências do ato de viver? Afinal, caso eu não tivesse optado pelo trajeto X, não encontraria aquela pedra na qual tropecei. Não é?

Bem, é nisso que acredito.

Porque, se fôssemos deixar por conta do destino, que tipo de autonomia os seres humanos teriam? Não sou filósofa nem espiritualista. É só que, de vez em quando, eu me pego refletindo sobre o sentido disso tudo, das questões que o viver implica.

Entro na sala de descanso e me jogo sobre a cama ainda com as marcas do último corpo que aqui repousou. A sensação nauseante não dura mais que um segundo. Foi-se o tempo em que só de pensar em me deitar sobre lençóis já usados fazia meu estômago embrulhar. Ai, ai... Como a vida nos ensina!

Estou exausta, como sempre, mas não consigo descansar. Minha lista de pendências não me dá sossego, lembrando que, mesmo quando este plantão quase interminável acabar, ainda assim não terei o direito de me desligar do resto do mundo. Esta mulher aqui, autônoma e empoderada, mal tem tempo de tomar um bom banho todos os dias. Meus jalecos que o digam!

Não é que eu esteja reclamando. Seguindo minha própria filosofia, reconheço que colho os frutos das escolhas que fiz. E, sério, adoro cada uma delas, mesmo nos dias em que desejo ter seguido outras direções. Enxergar por essa perspectiva me fez parar de me considerar uma pessoa injustiçada pelo "destino".

Observo os ponteiros do relógio de parede avançarem pela circunferência, avisando-me, com seu tique-taque irritante, que minha folga está chegando ao fim. E tem mais: meu celular vibra no bolso do jaleco. Trata-se de uma mensagem da enfermeira-chefe. Mais cedo do que eu esperava, o dever me chama. Pronto-socorro de hospital de referência não é brinquedo, não.

1

Sete anos antes

Eu olhei para ele e ele olhou para mim, assim, ao mesmo tempo. Não dá para prever quando nossos olhos encontrarão os de outra pessoa e isso mudará o rumo das coisas. Situações aleatórias ocorrem a todo momento.

Eu poderia ter ignorado o contato visual; ele também. Mas a conexão acabou durando tempo demais para ser desconsiderada. Na sequência, armamos um sorriso, desses que não passam de uma esticadinha dos cantos da boca, porém dizem mais que uma gargalhada completa. A gente estava se paquerando, ainda que não tivesse sequer passado um minuto desde que nós começamos a nos olhar.

Éramos o desconhecido encontrando o inimaginável, o inocente acenando para o perigo, a faísca achando que podia ser incêndio.

Do meu ponto de vista, ele, com as baquetas socando sem dó os instrumentos, parecia um ser de outro mundo, poderoso e lindo. O suor escorria pelas têmporas, as veias dos braços saltavam devido ao esforço de acompanhar o ritmo da música.

Quanto a mim... Eu era pura contemplação. Letargicamente, bebericava o suco que o garçom mal acabara de deixar diante de mim. O sabor, que era delicioso, influenciava ainda mais meus instintos primitivos, despertados por aquele homem com aparência de pecado.

Ao meu redor, as pessoas conversavam alheias a tudo. Éramos tantos em torno da mesa, que as conversas se embolavam, dificultando uma interação mais intimista. A vantagem é que ninguém reparou no modo como eu encarava o baterista. Senão estariam supervalorizando a questão.

E nem era para tanto mesmo. Quais as consequências de uma paquera anônima em um pub numa cidade turística? Para quem estava sem namorado havia meses, comemorando o término da faculdade, uma noite cheia de tensão sexual como aquela (na teoria) tinha o valor de um agradável bônus.

À medida que as horas passavam, eu tomava mais consciência do meu cansaço físico e mental. Anos e anos dedicados não só ao curso de medicina, mas também à preparação para ser aprovada no vestibular, haveriam de cobrar seu preço um dia. Feliz com a formatura, ansiosa pelos próximos passos que eu planejava seguir, participar da viagem a Paraty organizada por parte da turma significava duas coisas ao mesmo tempo: descansar e recarregar as energias para a nova fase que estava prestes a começar.

Nós estávamos aproveitando o passeio de todas as formas possíveis, evitando conversas sobre o futuro profissional de cada um. Até aquele momento, eu já qualificava a viagem com o selo de sucesso total. Então, cruzar meus olhos com os do músico sensual e perceber nos dele o mesmo impacto que senti completava de forma fenomenal meus últimos dias naquela cidade linda. Se eu tivesse a chance de congelar a noite, adoraria que ela durasse pelo menos até eu ter que voltar para a realidade.

A banda tocou sem fazer intervalos, a não ser por pequenas pausas para que os integrantes se reidratassem. Eu me esforcei ao máximo para me manter invisível entre meus colegas. Assim eu podia voltar a atenção apenas ao meu único foco de interesse naquela circunstância. Cheguei a me levantar para ir ao banheiro e, quando voltei, lá estavam os mesmos olhos escuros e o mesmo sorriso de lado. É desnecessário dizer que me tremi toda, o que dificultou bastante minha caminhada de retorno à mesa.

Os olhos dele em mim; meus olhos colados nele.

Esse é o resumo de uma noite que acabou como começou. A diferença em relação às demais foi só o meio. Voltei para a pousada levada pela onda de amigos me impulsionando para a frente. Entre mim e o estranho não houve troca de telefones, tampouco uma breve despedida. Cheguei ao pub e saí de lá sendo só eu mesma — além das inúmeras fantasias que embalaram meus sonhos naquela madrugada.

...

Eu o vi de longe na manhã seguinte. Mal conseguia acreditar na imagem que estava a poucos metros de distância. Algumas meninas e eu saímos para dar uma volta pelo comércio da cidade. Como era o último dia de passeio, queria comprar umas lembrancinhas para o pessoal de casa.

Ele estava com os caras da banda, de braços cruzados na entrada de uma cafeteria, observando o movimento pelas escorregadias ruas de pedras de Paraty. À luz do dia, conseguia ser ainda mais impressionante. Essa constatação fez meu coração perder algumas batidas, enquanto meu rosto esquentava fortemente, a ponto de uma amiga reparar:

— Não vai dizer que se esqueceu de passar protetor solar no rosto — repreendeu ela, imaginando que a vermelhidão fosse consequência da nossa exposição ao sol.

Não disse nem isso nem aquilo, porque naquele exato instante ele notou minha presença, e sua reação me fez corar ainda mais. Com o já registrado sorriso de lado, ele soltou os braços e enfiou as mãos nos bolsos da bermuda preta, sem desprender seu olhar do meu.

Como dei conta de manter a compostura e não ofegar? Eis um grande mistério. Talvez porque eu estivesse usando óculos escuros, então fiquei com aquela impressão de segurança dada pelas lentes opacas. Para todos os efeitos, eu poderia estar olhando para... a vitrine da loja de bibelôs. Isso!

— Aquele cara não tira os olhos de você — disse outra colega, numa entonação cheia de malícia.

— Hum? Quem? — Eu me fiz de boba, uma vez que a situação já ultrapassava o limite do embaraçoso.

De repente, todas as meninas se viraram na direção do dedo apontado, revelando o baterista ao mundo — o mundo das recém-formadas curiosas — e me revelando de vez para ele.

Eu me virei de costas; meu coração se revirou no peito; meu estômago deu uma reviravolta. Eu sou muito corajosa, até a coragem me abandonar. Tudo bem aproveitar a paquera na penumbra de um pub cheio e o cara em questão estar atrás de uma bateria, de onde não poderia tirar as mãos durante a noite inteira. Mas assim, no clarão da aurora — nem tão aurora àquela altura da manhã —, subitamente me senti muito tímida.

Dei a entender que estava superinteressada em adquirir todos os produtos da lojinha mais próxima, sem deixar de observar, com o canto dos olhos, o entorno. Tive medo de que ele se aproximasse e, também, de que fosse embora.

Tão indecisa...

Devagar, tentei ganhar um pouco de distância do meu grupo. Pessoas unidas em bando têm certa tendência a constranger umas às outras. Mas o estranho já havia se conscientizado da situação como um todo. Tive plena certeza disso quando senti sua presença ao meu lado. Como ele era alto!

Assim como eu, ele fingiu interesse na vitrine, enquanto sussurrou, sem se virar para mim:

— Gosta do que vê?

Foi fácil perceber a ambiguidade na pergunta, uma vez que o rosto dele estava sendo refletido pela parede de vidro.

— Só estou olhando, sem pretensões — devolvi, também em duplo sentido.

— É mineira?

— Conclusão tão rápida!

— O sotaque...

— Ah...

Silêncio.

O melhor dos imprevistos

Tive a certeza de que, naquele momento, mesmo com todo o burburinho das pessoas espalhadas pela rua, era possível escutar as batidas do meu coração.

— Bonito aquele lá.

Segui a direção para a qual o dedo dele apontava e vi um pequenino tabuleiro de xadrez esculpido em madeira.

— Uhum.

Estávamos enrolando. E por mais que a situação estivesse ficando a cada instante mais embaraçosa, nenhum de nós parecia querer se mover dali. Eu estava longe da minha realidade. Talvez ele também estivesse distante da dele. E quando nos encontramos fora do nosso próprio universo, as coisas costumam ganhar uma conotação um tanto quanto fantasiosa. São os "e se" da vida.

Comecei a me afastar, sem nem ao menos dizer tchau, porque considerei que me despedir não vinha ao caso. Mas os olhos dele estavam presos em mim, como se quisessem me fazer ficar.

— Vou tocar naquele pub outra vez, hoje à noite.

Ele me concedeu a chance de um algo mais, sem marcar compromisso, conservando o mistério que só o futuro poderia desenrolar.

Eu não tinha ideia do que fazer com aquela informação.

— Será a última apresentação aqui em Paraty. Depois...

Podia ser que um dia, olhando para trás, eu chegasse a entender o "depois" cheio de hesitação. Mas, naquela hora, só notei um toque de urgência para me convencer a ir vê-lo mais tarde. Foi nisso que eu quis acreditar.

Balancei sutilmente a cabeça. Não respondi. Afinal, quando não há uma resposta certa, é melhor manter a boca fechada.

...

Não sei em que momento entre o "Ah, não, vamos aproveitar nossa última noite em Paraty em outro lugar" e o "Tá, sua insistente" o pessoal mudou de ideia e aceitou minha sugestão. Pode ser que eu tenha soado suplicante demais.

Embora fôssemos uma turma grande, gostávamos de estar todos juntos, principalmente os meninos e eu, as amizades mais leais e improváveis que já fiz em toda a minha vida.

1) Benjamim, a quem chamávamos de Benja numa pronúncia bastante abrasileirada. Quando ele nasceu, a mãe já estava encantada com o significado do nome, "filho da felicidade", "o bem-amado", mas passou por um longo período de arrependimento quando percebeu que a maioria das pessoas dizia "Beijamin", inclusive nós, seus amigos mais próximos, quando queríamos muito irritá-lo.

2) Vicente, o sorumbático. Quem não o conhecia bem, acreditava que ele era ou tímido demais ou muito antissocial. Existiam razões nas duas formas de categorizá-lo, mas apenas nós sabíamos o quanto ele adorava fazer um tipo.

3) Juliano, o ser humano de coração mais doce e sensível. Não sei como, mas só ele conseguia ser amável com todo mundo, mesmo quando alguém não merecia sequer receber um sorriso. Durante o curso de medicina, jurávamos que ele seria pediatra. Mas, como nem tudo se desenrola previsivelmente, optou por cardiologia. (Não deixava de combinar com sua personalidade carinhosa.)

4) José Lucas ou apenas Lucas mesmo. Só a mãe dele usava o nome composto e alguns pacientes desavisados, que chegavam procurando o doutor José, esperando um senhor de meia-idade, mas se deparavam com um estudante atlético prestes a se formar. Lucas, o descontraído. Lucas, o bem-humorado. Lucas, o cheio de si.

Como nos tornamos os melhores amigos uns dos outros é história para ser contada mais tarde.

Bom, acabamos todos no mesmo bar da noite anterior, reunidos em torno de uma mesa enorme e falando pelos cotovelos, como sempre — exceto eu, que tinha um olho no palco e o outro... também, além do coração na mão de tanta ansiedade.

Os instrumentos musicais estavam lá, mas ainda não havia sinal da banda.

Uma das meninas que estava comigo de manhã e presenciou a abordagem ambígua do baterista comentou em voz alta:

O melhor dos imprevistos

— Daqui a pouco o bonitão aparece. Do jeito que ele engolia você com os olhos hoje cedo, a fome é recíproca.

— Quem disse que estou com fome? — desdenhei, sugando um gole da bebida tropical que o garçom tinha acabado de colocar diante de mim.

— Que bonitão? — Benjamim foi vencido pela curiosidade.

— Você arrumou alguém de ontem para hoje? — quis saber Lucas, com um sorriso torto.

— Deixem a Elza se divertir e parem de pegar no pé dela. E daí? — disse Juliano.

— Rá! Isso que eu chamo de péssimo timing. Nossas férias acabam amanhã. — Vicente, sempre direto.

Depois de seis anos de convivência diária, eu estava acostumada com o estilo de cada um e eles, com o meu. Éramos amigos porque nos aceitávamos como somos.

Então, a banda subiu ao palco e o olhar penetrante do baterista logo encontrou o meu. Em torno de mim, todo mundo acompanhou a evolução dos acontecimentos, como se o músico e eu fôssemos personagens de um filme muito interessante.

2

Sete anos depois

— *Almoço?*

Contorço o pescoço, que está duro pelas horas infinitas no bloco cirúrgico. Agora, sentada em meu consultório, que é quando sinto as consequências do esforço.

— Já está na hora? — Verifico pelo celular, mas meu estômago responde com um ronco.

Benjamim, ainda parado na porta, me aponta o dedo indicador e responde de um jeito divertido:

— Parece que sim, certo? Venha! — Ele se aproxima e me puxa pela mão. — Os caras estão esperando.

Caminhamos pelos corredores da clínica que compartilhamos discutindo casos do dia, trocando informações e reclamando de diversas situações, o de sempre.

— Benja, o paciente precisou ser entubado às pressas. De repente, tudo virou uma loucura.

— Como de costume, né, Elza?

Os outros três nos avistam assim que chegamos à recepção. Normalmente comemos num restaurante próximo, quando nossas agendas permitem que nós cinco estejamos juntos. Só Juliano acena, enquanto Vicente está com a cara colada no celular e Lucas fica de papo com a nova neurologista, que se despede dele toda manhosa quando nos reunimos ao grupo.

— Você não perde uma oportunidade. Pelo amor de Deus! — comento, cutucando os ombros dele para implicar.

— Eu não fiz nada, gente. Ela só estava esclarecendo algumas dúvidas.

Ele e Benjamin riem e Juliano me lança uma expressão de pena. Estamos ficando velhos, mas nossos amigos ainda pensam que são os mesmos da época da faculdade.

— Ô, Vicente, você vai conseguir nos dar o prazer de sua presença ou vai continuar consultando a oscilação da Bolsa aí nesse seu celular? — provoca Benjamin.

— Não estou consultando a Bolsa.

— Mesmo?

Todos nós rimos à custa do nosso amigo taciturno e partimos em direção ao pequeno restaurante que nos alimenta praticamente todos os dias da semana. Somos clientes assíduos, tanto que a proprietária nem perde seu tempo nos dispensando atenção. Somos de casa.

É no meio de um caso contado por Juliano que nos sentamos em torno da mesa de sempre e pedimos os pratos de costume, assim que colocamos nossos telefones diante de nós. Emergências não marcam horário. Estamos constantemente a postos.

— Falou com sua mãe hoje? Ela teve que ligar para mim, já que você não a atende. O que está acontecendo, Elza? — pergunta Vicente, os olhos apertados por trás dos óculos.

Suspiro, o que para os quatro serve como uma resposta das mais elaboradas.

— Ela continua insistindo para você ir ao casamento de sua prima? — sugere Juliano, demonstrando uma preocupação empática.

— De mais uma prima, você quer dizer. Eu já me esquivei de todos, por que iria especialmente nesse?

— Talvez seja hora de contar para seus pais o motivo de você ter se afastado repentinamente da família. — Vicente, com seu jeito sério e sua intensidade, consegue me passar calor por meio do olhar.

Faço que não com a cabeça, evitando desenvolver um argumento porque aqui todos já conhecem minha história, aliás, são as únicas pessoas neste mundo que sabem de todos os porquês.

— Fugir da família para sempre será uma tarefa de ninja. — Lucas aponta o garfo para mim, enquanto fala e mastiga ao mesmo tempo.

Juliano dá um tapa no ombro dele, para que deixe de ser mal-educado.

— Tenho alcançado sucesso total até agora.

Um dos telefones sobre a mesa toca e todos nós nos mexemos para atender a chamada. Vicente ergue o dedo, indicando que dessa vez é só o dele.

— Maria — diz de modo sisudo.

Benjamin comenta com ar de conspiração, sem reduzir o tom de voz:

— Quem atende a namorada dessa forma?

— Parece que é um cobrador, não a alma gêmea — compara Juliano.

— Quem disse que a Maria é a cara-metade do Vicente? — Lucas bufa. Nenhum deles se dá o trabalho de ser discreto.

— E não é? — completo, feliz por ter saído do centro das atenções.

— Claro que não. Vicente não tem metade para ser preenchida. Ele se basta.

Todos rimos da brincadeira de Lucas, mais ainda porque Vicente nos fuzila com seu olhar de guarda-costas de celebridade. Mas a verdade é que no fundo ele não se irrita e nós sabemos que ele é apenas um sujeito sério.

O almoço prossegue como de costume, todos falando atropeladamente, comendo a jato porque não temos muito tempo, alfinetando uns aos outros — um padrão entre nós — e alimentando nossa amizade que é motivo de especulação por parte das pessoas que não compreendem como conseguimos manter essa relação há tanto tempo, tão harmoniosamente, ainda que sejamos bastante diferentes.

Existem muito mais coisas em comum entre nós cinco do que apenas o fato de termos cursado medicina juntos.

Por exemplo...

— Vai ter ensaio este fim de semana?

…

Tiro os tênis antes de entrar em casa, uma mania que adquiri quando Giovana começou a engatinhar. Ver aquelas mãozinhas explorando o chão me remetia a todas as impurezas trazidas por meus sapatos.

Já é tarde, e como de hábito, minha filha está sentadinha no sofá, de banho tomado e pijama, assistindo a um desenho na televisão, enquanto Mirtes termina de preparar seu jantar. Vejo essa mesma cena quase todos os dias, mas ainda sou atingida por uma onda de ternura e outra de culpa, em igual proporção.

— Mãe! — Giovana fica em pé sobre o sofá e voa no meu colo quando já estou próxima. Ela está ficando grande. Suas pernas gorduchinhas se enroscam em torno do meu corpo.

— Olá, gatinha. Que cheirinho gostoso! Usou o xampu novo que o tio Lucas trouxe ontem para você?

— Sim! Meu cabelo não está limpinho?

Ela move a cabeça em várias direções para facilitar minha inspeção. Seus cachinhos escuros saltitam sobre os ombros.

— Limpíssimo!

— E eu tomei banho sozinha. Não foi, Mirtes?

Da bancada da cozinha, a mulher que cuida da minha pequena desde seus primeiros meses pisca para mim disfarçadamente.

— Praticamente — responde.

Isso significa que Mirtes teve que dar uns retoques finais nesse tal banho independente.

— E como foi na escola hoje? — pergunto, ajeitando Giovana no sofá para que eu possa assumir as funções do jantar.

— Lorenzo caiu na aula de educação física. Ele cortou o queixo e saiu muito sangue. Teve até que ir pro hospital. Você viu ele lá, mamãe?

— Não, gatinha. Ele deve ter ido a outro hospital.

Mirtes se senta à mesa, bebericando um copo de água, enquanto me conta os acontecimentos do dia.

— Está tarde. Vai de Uber, tá? Queria ter chegado mais cedo, mas hoje o que mais apareceu no meu plantão foi emergência — digo e queimo a língua ao provar a sopa.

— Não precisa, Elza. O Carlinhos vem me buscar. É sexta-feira, né? — Ela abre um sorriso animado. — Vamos sair para dançar e quem sabe mais alguma coisa?

— Ai, que inveja!

— Porque você é boba. Deveria aproveitar melhor aqueles seus amigos bonitões.

— Tá doida, Mirtes! Todos os rapazes são meus amigos — esclareço, embora não seja necessário. Ela conhece o tipo de relação que nós temos.

— Então por que não arruma outro cara qualquer? O que vale esta vida sem um pouco de diversão, mulher?

O que vale esta vida sem um pouco de diversão? Minha vida vale cada segundo da minha existência, ainda que eu ande vivendo quase que só por nós duas. Giovana e eu. Mas não expresso meu pensamento em voz alta.

— A sopa está ótima, como sempre — mudo de assunto.

— E eu vou andando. O Carlinhos já está aqui perto.

— Talvez ele queira subir, tomar alguma coisa — sugiro.

— Deixa pra próxima, Elza. Você está cansada e nós dois temos planos mais... animados.

Caímos na risada, chamando a atenção de Giovana, que nos fuzila com a testa franzida.

— Não escutei o que a Dora falou. A gargalhada de vocês está alta demais.

— É MESMO?! — falo, quase gritando, só para irritá-la.

— QUEM ESTÁ RINDO ALTO?! — Mirtes faz o mesmo.

E acabamos nós três embaladas pelo riso solto.

...

— Posso comemorar meu aniversário na escola?

Estou quase cochilando lendo uma história para Giovana, nós duas agarradinhas debaixo do edredom.

— Pode, sim.

— E posso fazer uma festa aqui no prédio também?

— Duas festas?

— Uma com meus colegas, a outra com nosso pessoal.

Giovana fala como eu, às vezes. Eu me reconheço em muito do que ela diz.

— Que tal fazermos a festinha aqui *com nosso pessoal* e você convida alguns coleguinhas? — sugiro, mas morrendo de preguiça de programar o evento.

— Todos! — teima, armando o biquinho, que é a marca de sua personalidade forte.

— Todos são muitos, filha. Aposto que você tem alguns que são mais próximos, amiguinhos.

Giovana se ergue e cruza os braços. Lá vem sermão.

— Mãe, minha professora ensinou que a gente não pode excluir ninguém. Se eu convidar só alguns colegas, vai ser feio demais. Você sabe o que é *intolerância*?

Faço esforço para não rir. Ela, cheia de sapiência, séria feito uma adulta, pronunciando a palavra de um jeito tão fofo assim, derrete meu coração.

— O que é intolerância, Gio?

Meu falso desconhecimento enche a bola dela.

— *Intolerância* é quando a gente não aceita o jeito de cada pessoa. Então, eu tenho que convidar todos os meus colegas, até os chatos. Entendeu, mãe? *Intolerância* é feio.

— Demais!

Quando percebem que venceram uma batalha, as pessoas costumam armar um ar de arrogância bem parecido com a expressão que Giovana tem no rosto.

Sete anos atrás, nem passava por minha cabeça ser mãe, muito menos ter a responsabilidade integral por uma criança. Aos vinte e poucos anos, um diploma de medicina debaixo do braço e a palavra "carreira" piscando intermitentemente diante dos meus olhos, ficar grávida era um item inexistente em minha lista de prioridades. Agora, o que não existe para mim é uma vida sem minha filha, por mais que sobre pouquíssimo ou nenhum tempo somente meu.

— Então, mãe, posso convidar todo mundo da minha sala?

Volto ao presente, desejando não ter que lidar com os preparativos de uma festa de aniversário. Não tenho dom algum para planejar nem eventos minúsculos. Além disso, diferentemente de muitos pais, não é tudo que diz respeito à minha filha que me motiva. Mas...

— Gio, prometo preparar uma festinha legal aqui no prédio. Você pode chamar seus amiguinhos e nosso pessoal. Só não será um festão, tá?

Ela pula na cama, os cachinhos escuros balançando ao sabor da gravidade. Seu sorriso cheio de falhas é pura felicidade.

Estou exausta, preciso dormir (talvez a insônia não permita), gostaria de ler um livro bom ou assistir a um filme leve. Querer e não poder ter tudo me frustra. Mas a mais autêntica expressão de gratidão no olhar da minha pequena supera todos os meus impulsos individualistas.

— Posso chamar a vovó e o vovô?

3

Sete anos antes

— *Felipe*.

Uma voz e uma mão dirigidas a mim, que acabava de sair do banheiro feminino. Fiquei meio constrangida e não estendi minha mão de volta. A meu favor pesou o fato de eu ter acabado de lavá-las e as toalhas de papel haviam acabado. Portanto, fui flagrada secando as mãos na parte de trás do meu short jeans, ou seja, bem na...

— Levando em conta que estamos numa cidade turística no ápice da alta temporada, é curioso termos nos esbarrado bastante nas últimas horas — comentou ele, ignorando meu constrangimento.

Parecia que o músico era bom com as palavras, embora sua banda só fizesse cover de cantores famosos, aparentemente.

— Curioso? — devolvi. — Não acredito em coincidências.

— Você está me fazendo acreditar que veio aqui hoje de propósito? — Sua voz adquiriu um tom mais grave.

— Minha turma é grande. A escolha do lugar passou por uma longa votação entre os envolvidos.

Seu sorriso me lembrou o do falecido ator Heath Ledger, por quem me apaixonei perdidamente ao assistir a *Dez coisas que odeio em você*. Esse fator foi favorável à imagem que eu estava fazendo do Felipe Paquerador.

— Se não é coincidência nem livre-arbítrio...

— É a vida! — concluí, passando por ele e seguindo adiante, como se meu coração não estivesse aos pulos.

Não sou tão segura de mim mesma como dei a entender. Fui criada para ser boa em tudo, então posso atestar que essa não é a melhor maneira de ensinar um filho a desenvolver autoconfiança.

Quando passei em medicina, o que era para ser a maior conquista da história para mim e para minha família virou um suplício. Primeiro, porque fiquei bem distante das primeiras colocações (e eu não sentia culpa alguma por isso, afinal eu havia entrado numa universidade federal — e em medicina!), mas meus pais não enxergaram as coisas por essa ótica. Eles me fizeram carregar um peso que eu não reconhecia como meu.

Em seguida, desenvolvi síndrome do pânico, pois passei um longo período me perguntando se medicina era mesmo para mim, sem coragem de ser franca com meus pais ou qualquer outra pessoa.

As coisas só deram uma suavizada quando os meninos se aproximaram de mim — Vicente, Benjamim, José Lucas e Juliano. Então, aos poucos, fui encontrando um sentido para a vida que eu empurrava com a barriga.

— Topa ou não?

Heath Ledger (esse nome combinava mais com ele do que "Felipe") insistia em saber a resposta para o convite que tinha acabado de me fazer, algo muito fora dos meus padrões.

— Sim.

Acontece que sempre fui meio padronizada demais.

De longe, acenei para o pessoal. Eu não seria louca de ir até a mesa avisar que estava de saída com um desconhecido. Certamente, meus colegas me fariam passar muita vergonha. Em nome da coragem recém-adquirida, eu me manteria firme no propósito de ser descolada. Portanto, não precisava de um embaraço a mais que me induzisse a desistir.

...

O melhor dos imprevistos

O que aconteceu depois que Felipe *Ledger* e eu deixamos o bar foi como aquelas edições de várias cenas de um filme, compiladas numa espécie de clipe, com um fundo musical combinando, para que o público saiba em poucos minutos a evolução de certas ações dos personagens principais.

Foi tudo muito rápido, aparentemente, porque, sempre que aciono minha memória em busca de lembranças daquela noite, vejo um vídeo em velocidade bastante acelerada. Então, me resta a dúvida quanto à precisão do instante em que as coisas meio que se descontrolaram.

Do bar, paramos numa praça e nos sentamos em torno de um trailer que vendia umas bebidas coloridas bonitas, mas de procedência duvidosa. A variedade de cores me fazia pensar nos xaropes que minha mãe me obrigava a tomar quando eu era criança. Eu quase me virava do avesso de tanto tossir — tinha bronquite. Mesmo assim, escolhi um drinque azul neon e no primeiro gole tive a sensação de que estava tomando Pinho Sol (não que eu já tivesse bebido o desinfetante). O curioso é que essa recordação é a mais nítida de todas. Do segundo gole em diante, o gosto da bebida não me pareceu tão estranho e minha mente parou de fazer analogias.

A conversa com o baterista seguiu fluida e de uma coisa tenho certeza: eu estava me divertindo.

Bebemos, rimos, discutimos diversos tópicos, falamos do clima. Mas...

Sei que um detalhe foi conscientemente deixado de lado.

Naquele momento, eu não sabia exatamente o quê, só sentia que estávamos permitindo que algo passasse batido naquela interação entre duas pessoas adultas que pareciam querer levar um pouco de ousadia para a vida — eu, pelo menos.

Durante a faculdade, dormi e acordei debruçada sobre meus livros de medicina, perdendo, por opção e necessidade, tantas situações próprias daquela fase. Com a formatura, ganhei de brinde o alívio e a vontade de viver antes de retomar os estudos exigidos pela residência médica e ser engolida pelo trabalho.

Porém, diferentemente dos meus tempos de universitária, dessa vez não foi com livro algum que me deparei ao acordar no dia seguinte ao encontro com o sósia do Heath.

— *Gostei do seu beijo.*

— *Suas mãos são suaves. Pensei que mãos de bateristas fossem ásperas.*

— *Você fala bonito.*

— *Sente o cheiro do mar?*

— *Seu cheiro é o único que sinto.*

— *Essa cantada funciona?*

— *Você me diz.*

— *...*

— *Quer sair daqui?*

— *Pra onde?*

Sofri um bombardeio de fragmentos dos nossos diálogos assim que abri os olhos, o que não foi um movimento muito simples de se fazer, levando em conta a dor que atravessava meu cérebro.

Primeira constatação: o lado esquerdo da cama estava amarfanhado, como se alguém tivesse usado aquele pedaço para dançar forró.

Segunda constatação: por onde andava meu pijama?

Levei as mãos à cabeça, esfregando-a com força. Ergui o corpo para apoiar as costas na cabeceira e o movimento fez algo se mexer sobre o travesseiro.

Um papel. Um bilhete?

Você foi o melhor dos imprevistos.

Entendi tudo, mesmo não me lembrando dos detalhes da noite anterior.

O charmoso baterista, sósia do Heath Ledger, e eu bebemos aquele arco-íris alcoólico por um bom tempo, sentados na praça como uma dupla de adolescentes do interior. Rimos, gargalhamos, nos beijamos e...

Viemos parar no meu quarto de hotel.

Não estava disposta a me condenar depois que tudo já havia passado, mas minha lucidez começou a me enviar alertas subsequentes,

O melhor dos imprevistos

mostrando-me que eu tinha dado muita sorte. Afinal, fiquei a noite inteira sozinha com um completo estranho. As chances de que algo desse errado eram imensas.

Cobri minha cabeça com o travesseiro e dei um grito. Ao mesmo tempo que fui atacada por um medo repentino, também tive uma sensação de poder. Eu me senti também como uma mulher livre, adulta, dona do próprio nariz e sem preconceitos.

Com esse ânimo me instigando a levantar, decidi tomar um banho e seguir a vida. Se o bonitão havia partido sem dar sinal, a não ser o bilhetinho brega/consolador, paciência.

Não era amooor...

Mas talvez fosse cilada!

4

Sete anos depois

Queimo o lábio inferior com o café assim que dou o primeiro gole. É quase sempre assim. Ainda que eu já conheça os riscos, não consigo esperar até que minha bebida favorita esfrie. Benjamin garante que eu gosto de viver perigosamente.

Bem, provavelmente esse é o único ato insano que cometo no dia a dia. Minha vida é tão ordinariamente morna que o auge da quentura é o café escaldante. Pode ser que muitos pensem que considero isso ruim, mas esses não sabem de nada. Está ótimo o modo como vivo, sem surpresas, sem fortes emoções, sem sustos — exceto pelo trabalho e pelas inconstâncias típicas quando se cria uma criança.

Mordo a pele afetada pelo café quente, testando a intensidade do dano. Não vai se transformar numa afta, pelo menos. Dando de ombros, bebo mais um pouco, enquanto contemplo o horizonte recortado pelos prédios espelhados, o que faz parecer que a cidade é ainda maior, infinita.

Na cidade em que nasci e onde meus pais ainda moram, há poucos edifícios. Lá é possível expandir a visão até onde as montanhas raspam no céu. Há tantos morros que chamamos de mar, porque a distância faz com que eles pareçam azulados. Coisa linda de se observar.

Mas aqui...

— Divagando de novo, Elza?

Por pouco, não entorno o café no meu jaleco. Fulmino Vicente, parado de braços cruzados bem ao meu lado.

— Que horror! Isso é jeito de chegar?

— Pensei que tinha me visto, uai — diz, fazendo cara de santo. — Você não parece muito bem. Problema com algum paciente?

Rio com ar de deboche e ele me compreende sem que eu precise falar.

— Sempre! — exclamamos juntos.

Vicente me observa um pouco mais. Acho que está preocupado.

— Se no trabalho os problemas estão normais, essa ruga na sua testa tem a ver com sua família, então. — Ele não pergunta, como sempre. Um dos meus mais queridos amigos é mestre em afirmações.

— Você sabe, daqui a uns dias é o aniversário da Giovana. Ela quer uma festinha para reunir os colegas da escola e o "nosso pessoal", como ela mesma disse.

Vicente acha graça e dá um meio sorriso. Ele é muito mais bonito quando sorri. Sempre achei isso, mas jamais mencionei, ainda que sejamos bem próximos.

— E o problema é...

— O de sempre.

O café está acabando. Gostaria de mais um pouco.

— Entendo, mas acho que todo esse seu desgaste emocional é bobagem. Você não deve nada a ninguém, nem mesmo a seus pais. Quem não lembra o quão guerreira você foi na época mais difícil!

— Pois é! Eu não tive escolha. Precisei segurar bem firme no chifre do boi.

— Mas seus pais tentaram apoiá-la. — Vicente hesita antes de continuar. — Você que não deixou.

Ele pisou no meu calo. Eu tinha meus motivos para afastar meus pais de mim quando descobri a gravidez. Pode ser que hoje essas razões estejam desvanecidas, mas, antes, não. Eu era a culpa personificada em meu um metro e sessenta e cinco.

— Vicente...

— Não me dê uma advertência, Elza. No papel de seu amigo, acho que posso extrapolar as pautas liberadas por você. — Ele arruma o cabelo, que, com a agitação, caiu sobre seus olhos escuros. — Giovana vai fazer sete anos. Daqui a pouco ela estará na adolescência e vai querer espaço. Por que não relaxar e permitir que sua filha conviva com os avós? Essa situação é facílima de resolver.

Muito a contragosto, balanço a cabeça.

— Simplifique o que não é complicado por natureza. Seja leve, querida.

— Você, o mais sério entre todos nós, está me mandando ser leve? — debocho, para amenizar o clima.

Ele ri de novo. Só por fora Vicente é meio áspero. Quem o conhece muito, como eu, sabe disso.

— Seja leve agora, minha amiga, porque, na vida, tudo pode se complicar de uma hora para outra. Isso é uma coisa meio inevitável, não é?

...

Pessoas na casa dos trinta anos costumam ser maduras.
Esse é um senso comum que não se aplica a nós cinco quando penduramos nossos jalecos e passamos um tempo no que chamamos de "Fundo de Hospital", um refúgio, uma ideia, uma filosofia de vida, como definiu Benjamim, assim que criou o lema para o nosso grupo de... samba e pagode.

Tudo começou na faculdade. Estávamos entediados numa tarde de sábado, deitados de barriga para cima no gramado impecável do quintal da casa em que Juliano morava com os pais. Tínhamos comido feijoada no almoço, como se o amanhã tivesse sido cancelado. Ou seja, éramos cinco jovens universitários esparramados no chão como crianças, soltando bolhas pelos olhos de tanto comer.

Também havia muita nojeira. Credo! A ociosidade transformou meus quatro amigos em ícones da porcaria. Não fosse a letargia provocada pelo excesso de feijoada, eu já teria dado no pé — ou riscado um fósforo para gerar uma explosão.

Era Carnaval. Não havia pressa para coisa alguma. E que calor fazia! Em fevereiro, o Brasil vira a própria sucursal do inferno.

O pai de Juliano, sentado à sombra de uma frondosa mangueira, chacoalhava uma caixinha de fósforos — a que eu queria usar para incinerar aqueles peidorreiros — em ritmo de samba-enredo. O som era estranho, mas, ao mesmo tempo, gostoso.

— A gente podia ter uma banda — disse Lucas.

— Se está querendo preencher o silêncio com bobagens, não deveria perder tempo — retrucou Vicente, ranzinza.

— Não sabemos nenhum instrumento — declarou Juliano, mas em seguida titubeou. — Sabemos?

— Isso não vem ao...

— Eu toco violão! — Benjamim não deixou Vicente completar.

— Já é um começo — falei só para implicar com Vicente.

— Uma banda de quatro vocalistas e um mané que toca violão mais ou menos. Perfeito! — Ele não dava trégua.

De longe, o pai de Juliano achou que deveria expressar sua opinião:

— Um monte de jovens reunidos numa garagem escura, vestidos de preto, tocando rock, e uma banda chamada "Lagartos assassinos"! Isso todo mundo faz. Queria ver se juntarem em honra do samba...

E assim nasceu a "Fundo de Hospital".

Não naquele dia, naquele momento. Primeiro houve uma ridicularização generalizada da ideia. Mas, com o pai de Juliano nos cutucando e por fim nos empresariando — ele forneceu o espaço e os instrumentos, além da motivação, transformando-se também no líder e maestro do grupo —, entramos no embalo.

Eu, que nada sabia sobre música além de ouvir, gostar ou não gostar, passei a tocar triângulo. Com o tempo, fui promovida, porque eu sou teimosa e dei um jeito de aprender a manusear pandeiro, surdo e tamborim. Benjamim, do violão foi para o cavaquinho. E os demais faziam de tudo um pouco.

Quando demos pela coisa, éramos um grupo de samba e pagode de verdade, cujos membros alternavam-se entre a louca rotina de estudantes de medicina e ensaios frequentes nos fundos da casa de Juliano.

— Vamos de velha guarda hoje? — sugere Lucas, tomando sua posição na roda.

A mãe de Juliano acaba de colocar um prato com torresmo sobre a mesa. Minha boca saliva. Hoje é sábado, não estou de plantão, Giovana está entretida brincando com a sobrinha de Juliano em algum lugar dentro da casa, portanto posso aproveitar a comida deliciosa e uma cervejinha gelada.

— Clara Nunes! — dou minha opinião com entusiasmo.

— Já quer dominar o vocal de novo?

— Deixa de ser chato, Benja. Dá pra mim! — Aponto para o microfone, que me é passado por Lucas. — "Tristeza pé no chão".

Seu Roberto, pai de Juliano, faz sinal de positivo.

— Boa ideia, araponga!

— Trinca-ferro!

— Maritaca!

Minha fama de voz de taquara me rendeu essas comparações lisonjeiras, fato que não me abala nem um pouco. Sei que me garanto.

— Hã, hã! — Testo a garganta. E...

Dei um aperto de saudade no meu tamborim
Molhei o pano da cuíca com as minhas lágrimas
Dei meu tempo de espera para a marcação e cantei
A minha vida na avenida sem empolgação.[1]

...

---

1 "Tristeza pé no chão", de Armando Fernandes (Mamão) e interpretada por Clara Nunes.

O melhor dos imprevistos

Recuo da bateria[2]

Ela não canta bem. Suas cordas vocais arranham todas as vezes que tenta uma nota mais aguda. Tampouco se garante nos graves. Mas ela insiste e se diverte, e a gente finge que implica.

Elza combina com felicidade.

Enquanto desafina, seu sorriso se amplia, desenhado abertamente naquele rosto encantador, nosso velho conhecido.

Fiz o estandarte com as minhas mágoas
Usei como destaque a tua falsidade
Do nosso desacerto fiz meu samba-enredo
Do velho som da minha surda eu dividi meus versos.[3]

Clara Nunes é perfeita para Elza, não pela magnífica interpretação — coisa que ela nem chega perto de fazer —, mas porque Clara a faz brilhar, como antigamente, antes de tudo acontecer.

Eu a admiro calado. O que pode ser expresso abertamente, eu faço. Mas dos meus sentimentos só eu sei e eles moram dentro de mim.

Não há por que Elza saber. Nem ninguém...

---

2 N.A.: Nos desfiles das escolas de samba no carnaval, há um momento em que a bateria se refugia em um espaço próprio para que as alas passem enquanto o samba-enredo é tocado. Chama-se recuo da bateria. Já que meu livro tem esse gênero como fundo musical, usei o título "Recuo da Bateria" para ressaltar uma voz narrativa que não pode ser revelada muito cedo na história, enquanto as demais narrativas seguem o compasso.

3 "Tristeza pé no chão", de Armando Fernandes (Mamão) e interpretada por Clara Nunes.

5

Sete anos antes

As férias estavam oficialmente encerradas.
Deixar Paraty despertou em mim aquela melancólica sensação provocada por despedidas. Nunca lidei muito bem com o fim das coisas, porque tinha nervoso do adeus. Fosse um pote de achocolatado que ia para o lixo depois da última colherada ou o término de uma viagem, do mais banal a algo de grande significado, saber que havia acabado me causava incômodo.

Mas dessa vez foi um pouco diferente e menos tristonho, porque da praia segui direto para uma pequena vila do interior de Minas, perto da minha cidade natal, onde aconteceria a cerimônia de casamento de uma de minhas inúmeras primas. A família já estava toda lá.

A perspectiva de um fim de semana festivo amenizou as despedidas, especialmente dos meninos, que também seguiram os caminhos deles, embora, antes, Lucas tenha me deixado na vila, chamada graciosamente de Santo Antônio do Leite.

Soube por meus pais que o casamento aconteceria dentro da pousada reservada pelos noivos, onde toda a família ficaria hospedada. Eu estava meio por fora dos acontecimentos, primeiro por eu não ser tão próxima da prima em questão e também porque estudar medicina em outra cidade consumia boa parte do meu tempo. Não conseguia acompanhar as novelas da vida de cada parente.

Ouvi o burburinho dos familiares já na recepção da pousada, mas não me apressei a ir até eles, porque passei uns minutos admirando a singeleza do lugar. Quem não conhece Minas Gerais e suas cidades históricas interioranas não imagina como são singulares e acolhedoras. Sempre haverá um paninho de crochê numa bandeja rústica, uma xícara de porcelana com detalhes românticos cheia de café quentinho e coado em coador de pano, uma "namoradeira" na varanda, uma plantinha — ou várias — na janela.

A pousada, ainda que tivesse todos esses e muitos outros detalhes, já era uma graça por si só. A construção bem antiga, mas bastante preservada, dava a impressão de que eu tinha acabado de entrar nas páginas de um livro de história. Minas nunca deixava de me encantar.

Saí da apreciação ao sinal do meu celular. Minha mãe queria saber por onde eu andava.

— Já na pousada. Vou deixar minhas coisas no quarto e encontro vocês.

Soube que minha prima tinha transformado o centro de convenções da pousada num salão de beleza, com direito a cabeleireiros e maquiadores à disposição dos convidados. Ao entrar no meu quarto e me olhar no espelho, compreendi que talvez fosse melhor me entregar às mãos dos profissionais, já que os dias na praia me transformaram numa pessoa um tanto quanto... rústica.

Cresci numa família composta por uma infinidade de mulheres que tinham uma relação próxima com certo grau de vaidade. Minhas primas, as que regulavam em idade comigo, faziam as unhas semanalmente, usavam máscaras para hidratar cabelo e pele e sabiam quais eram as tendências da moda antes de as lojas começarem a exibir os lançamentos nas vitrines.

Eu, não.

Eu só queria andar na minha bicicleta Monark BMX Pantera Goldstar 20 — eu pedi ao meu pai uma Caloi Ceci cor-de-rosa, mas ele não achou a que eu queria e comprou a primeira que viu — e deixar o vento bater no meu rosto, enquanto descia a rua onde morava sem usar os freios. Até que me esborrachei no chão, levei seis pontos no queixo e uma bronca humilhante. Mas isso é outra história.

Toda essa excursão ao passado serviu para me lembrar de que eu já não era mais criança e, portanto, voar na bicicleta amarela não me salvaria de ter que me preparar para o casamento. Agora eu era uma mulher adulta, não mais uma criança danadinha. Dei de ombros. Um pouco de mimo sem esforço não fazia mal algum.

Assoviando "Posso até me apaixonar", de Zeca Pagodinho, fechei a porta com uma mão, enquanto carregava o vestido pela alça do cabide com a outra. Era sábado, o céu estava azul e eu revivia as boas memórias dos últimos dias em Paraty. Meu humor parecia ter até cor, todas do arco-íris, pois eu me sentia muito alegrinha.

Enquanto caminhava a lentos passos pelos corredores da pousada, planejava voltar aos ensaios do "Fundo de Hospital" tão logo minha vida e a dos meninos entrassem nos eixos de novo. Com cada um de nós seguindo embalados pelas especializações escolhidas, sabíamos que demoraria um pouco até que voltássemos a nos adaptar. Eu torcia para que conseguíssemos nos reunir logo. Nunca imaginei que o samba e o pagode mudariam minha perspectiva sobre tudo.

Com o vestido batendo nas costas e o bom humor me abraçando como um casaco quentinho, esperava passar um fim de semana leve, ainda que nem sempre fosse divertido estar no meio da parentada toda. Cresci com gente falando demais, intrometendo-se demais, julgando demais. Todos esses *demais* uma hora cobrariam sua conta de tolerância.

— Opa!

Ao virar a curva do corredor para pegar as escadas que levavam ao primeiro piso (pousada do interior de Minas não costuma ter elevador), quase dei um encontrão na pessoa que fazia o percurso contrário.

— Por que a demora? — perguntou minha mãe, enquanto me abraçava desajeitadamente, visto que uma de minhas mãos estava ocupada com um vestido. — Vim te rebocar.

— Ansiosa!

— Que cabelo é esse, Elza? Lavou com sabão esses dias todos em Paraty?

— Não. Só com água do mar.

Ela me deu um tapinha no ombro pela malcriação. Estava brincando, pois estava rindo. Minha mãe nunca teve muito tato para verbalizar seus pensamentos e críticas. Com a passar do tempo, acabei me acostumando, entendendo que nossa relação sempre seria assim, meio ácida. Era o jeito dela e eu a amava.

Nosso percurso até o salão de beleza improvisado foi preenchido por perguntas breves sobre a viagem e notícias da família, que já estava reunida na pousada desde o dia anterior.

— Só faltava você!

Eu não tinha muita certeza disso, porque eram tantos parentes, distribuídos em inúmeras partes do país, que reunir todo mundo demandava uma logística quase impossível para apenas um fim de semana. Sendo assim, não faltava apenas eu.

Revi parte da família assim que entrei pelas portas de correr do centro de convenções transformado em salão. Destoando do restante da pousada, o centro tinha uma arquitetura moderna, prova de que havia sido construído mais recentemente, sem que houvesse qualquer preocupação em manter o estilo colonial.

Em meio a secadores, pincéis e rolos de cabelo, fui recebida pelas tias, primas e minha avó. Foi um negócio meio nostálgico, meio enervante e um tanto engraçado, cumprimentos numa linguagem familiar que são percebidos, em maior ou menor escala, em qualquer família.

— Elza! Ei!

Atrás de todo mundo, lá no fundo, uma mão se ergueu. Pela voz e exclusividade no tratamento dado pelos profissionais da beleza, tive certeza de que se tratava de Gabriela, a noiva.

Fazia muito tempo que não nos víamos pessoalmente. Nunca fomos as primas mais próximas, porque tínhamos uma diferença de idade relevante demais para crianças e adolescentes — ela era seis anos mais velha. Para piorar, morávamos em estados diferentes e levávamos uma vida tumultuada para termos tempo de seguir as rotinas uma da outra pelas redes sociais. Eu, estudante de medicina; ela, dedicada ao doutorado em alguma coisa relacionada à biologia.

Apesar de tudo isso, sempre que nos víamos era gostoso, alegre.

— Gabi, então é hoje o grande dia!

— Pois é. Estou tão nervosa.

E a conversa fluiu a partir desse ponto, mas foi rápida, porque noiva costuma ser a estrela do dia e a pobre coitada, em vez de curtir o momento, é mais mandada que soldado raso. Em seguida, fui tentar encontrar uma brecha para arrumar os cabelos, mas isso só seria possível uma hora mais tarde, já que a fila era longa.

— Onde está meu pai? — Quase tive que gritar para ser ouvida por minha mãe, cujas madeixas estavam sendo modeladas sob o som estridente de um secador em potência máxima.

— Contornando a mesa de sinuca ou tomando cerveja com seus tios.

— Ou os dois — dissemos juntas, rindo em seguida. — Vou lá. Daqui a pouco eu volto.

Saí meio a esmo, porque eu não fazia ideia de onde ficava a tal mesa de bilhar. Mas eu não me importava de ficar um pouco perdida. Ali, do lado de fora, longe do burburinho das pessoas se arrumando para o casamento, tudo era muito mais bonito e agradável.

Inclusive, e talvez principalmente, a plantinha que eu tinha acabado de descobrir. Nunca vi nada parecido antes, então precisei tocar para conferir se era de verdade, pois, para mim, nascida e crescida em Minas Gerais, parecia escultura talhada em pedra-sabão.

— Suculenta.

Dei um salto, assustada com: a) a voz, que veio do nada sem que eu me desse conta; b) a palavra, que me soou como um tipo nojento de assédio. Eu me ergui, preparada para reagir, então...

— Heath Ledger?! — balbuciei, incrédula.

— Oi? — Obviamente, ele não entendeu.

Tombei a cabeça de um jeito inquisidor, esperando ouvir uma explicação que justificasse estarmos nos encontrando novamente.

O melhor dos imprevistos

— Eu sou o Felipe, a plantinha ali no vaso se chama suculenta e eu não acredito que estou aqui na sua frente.

Era informação demais para uma pessoa assustada e confusa, no caso, eu. Porque o cara diante de mim demonstrava, além de surpresa, um ar de apreensão.

— Você está hospedada aqui? Veio para o casamento?

— Sim.

Ele travou no "sim". Disso eu tenho certeza. Felipe expirou o ar com afetação, enquanto resmungava um palavrão, que não vejo por que repetir. Algo me dizia que eu terminaria aquela conversa em choque.

— Sua banda vai tocar na festa? — insisti pelo caminho mais brando, querendo me apegar ao simples.

— Elza, escuta... O que aconteceu entre nós...

— Ei, meu chapa, pode cortar esse papo. Não vamos ter essa conversa. Sim, tivemos aquilo, e vida que segue. Eu não estava criando fantasias de princesa com você, não. Eu, hein!

Fiz que ia lhe dar as costas, mas Felipe (não o associaria a Heath Ledger mais, pois me recusava a atrelar meu *crush* do passado com esse sujeito que já não tinha mais charme algum, a meu ver) segurou meu braço.

— É que...

Fuzilei a mão dele com o olhar, soltando faíscas, o que o obrigou a me soltar.

— Tudo bem. Já entendi. Posso apostar que é comprometido e está pelando de medo de sua namorada descobrir que você é um babaca de um traidor.

— É que... — repetiu.

Espalmei as mãos, cortando suas justificativas.

— Não vou falar nada, se é essa sua preocupação. Ou eu deveria, em nome da sororidade?

— Elza, acontece que...

— Acontece que você é um cretino. Tudo bem, aceitei dormir com você, mas eu sou solteira. Minha decisão dizia respeito apenas a mim! Você é um canalha. Sabe disso, né?

— Mais do que você imagina.

Por essa eu não esperava. Imaginei ser retrucada ou receber uma saraivada de motivos que o levaram à traição.

— Você é... puta que pariu! Casado?

De repente, o dia, a suculenta, a festa, tudo ficou nebuloso. A primeira vez na vida que agi com ousadia deu nisso? Eu dormi com a droga de um homem casado?

— Ainda não — respondeu.

— Então você é...

— O noivo.

6

Sete anos depois

A maternidade não é como pintam as propagandas de opções de presentes para o Dia das Mães, tampouco se parece com os "casos de sucesso" compartilhados na porta da escola ou nos grupos de pais de alunos no WhatsApp.

Mãe não é tudo igual. Nem toda mulher tem instinto materno — e nem precisa ter. Muitas não querem ser mãe — e tudo bem. Ser mãe não é padecer no paraíso. Às vezes, é só padecimento mesmo; em outras, o paraíso personificado numa pessoinha que saiu de dentro de você.

Quando soube que estava grávida, fiquei revoltada. Demais. Eu me senti traída pelo destino, porque eu não era uma pessoa de pouca informação. Gente, eu tinha acabado de me formar em medicina. Na verdade, era a portadora de todas as informações necessárias para que relações sexuais não resultassem em doenças venéreas nem em crianças indesejadas. Acabei me tornando o ponto fora da curva.

Vivi ciclos complicados durante todo o período da gestação, enquanto me esforçava para prosseguir na residência médica, algo pelo qual batalhei tanto. Na maior parte do tempo, eu desejava que tudo não passasse de um pesadelo, imaginava que acordaria um dia e descobriria que a gravidez foi fruto de um sonho ruim. Tantos sentimentos conturbados e depreciativos não me estimularam nem um pouco. Nem fiz enxoval para o bebê. Não fossem meus quatro amigos, Giovana não teria sequer uma muda de roupa para deixar o hospital. Parece que nem sou ser humano, mas é por ser justamente um que vivenciei tamanho trauma. Não existe manual para que uma mulher se transforme em mãe da noite para o dia.

Com meus pais, a situação também foi bem difícil, especialmente no começo. Porém, quando eles notaram o quão mal eu estava, fizeram de tudo para me apoiar. Acontece que não abri espaço. Havia muita dor e muita culpa dentro de mim.

Uma pessoa ferida é o algoz dela mesma. E eu fui a minha — talvez ainda seja, um pouco.

Contudo, assim que minha filha veio ao mundo, aos berros, o gelo derreteu. Bem, o gelo que me impediu de amá-la, enquanto morava dentro de mim. Ela nasceu às 12:37 de uma terça-feira ensolarada e, de um jeito único, poderoso, fez o sol voltar a brilhar na minha vida.

— Criança cresce tão rápido. E isso é meio triste.

Enquanto beberico vagarosamente o suco de uva, o sabor preferido de Giovana, minha mãe colou ao meu lado. Ela parece radiante.

— Sete anos já! Não acha que o tempo tem passado muito depressa?

— Muito — concordo. — Essa menina já me deixa sem palavras. Diz cada coisa.

— Como você, quando pequena.

Giovana está na cama elástica com alguns amigos, bem do jeito que imaginou. Pela carinha de realizada, acho que acertei nos preparativos da festa de aniversário.

— Eu não era tão falante quanto ela — rebato.

— Você que pensa. Falava e cantava o dia inteiro. E não tirava aquele vestido de festa junina. Não lembra? Queria usá-lo todos os dias, minha princesinha caipira.

Arregalo os olhos. Se minha mãe não tivesse tocado nesse assunto, essa memória permaneceria apagada eternamente. Sorrio, encantada. Será que andei enterrando fundo demais meus bons momentos do passado?

— Obrigada por nos convidar. Seu pai está muito feliz.

Nós duas voltamos o olhar para ele, que está na entrada do pula-pula, supervisionando o entra e sai das crianças, mas completamente absorvido por Giovana.

Sinto culpa.

— Mãe, eu...

— Você viu que linda a cama de boneca que ele mesmo fez? Ficou horas dando uma de marceneiro lá no quintal. — Deliberadamente, ela foge do assunto. Mas eu não sei o que dizer. Apenas sei que sinto muito mesmo.

— Maravilhosa! A Gio amou.

— Vamos combinar uma visita de vocês lá em casa? Visita não! Pelo amor de Deus, minha filha e minha neta não são visitas.

Ela sabe o quanto é difícil, para mim, visitar nossa cidade. Quero dizer, o motivo verdadeiro minha mãe desconhece. Mas entende que não me sinto confortável lá de jeito nenhum. Mesmo assim, respondo:

— Sim. Uma hora dessas, a gente vai. Quem sabe nas férias?

Não falo da boca para fora. Estou aqui, ao lado dela, observando a felicidade do meu pai e o encantamento de Giovana. Sei que todos merecem esse contato.

É tão complicado...

— Dona Bete! Quer tomar o drinque que acabei de preparar? — Benjamin pergunta, mas nem espera a resposta, pois entrega o copo à minha mãe antes de terminar a frase. Em seguida, pisca para mim. Sei que está dando sua contribuição para a amenização do clima.

— O que tem aqui dentro, Benja? — Ela o chama pelo apelido e eu acho fofo.

— Suco de kiwi, pedaços de kiwi e vodca, mas só um pouquinho.

Ela torce o nariz, mas não rejeita a bebida.

— E você, anfitriã do dia, também quer?

— Não posso. Talvez mais tarde. Tenho que ficar de olho nessa criançada.

— O pessoal da Giovana é bastante gente, hein! — comenta Benjamim, referindo-se à expressão que minha filha adotou para si.

De fato, a festinha se transformou num evento bem maior do que eu esperava. Meu desespero é pensar no depois, no tamanho da desorganização que sobrará para eu ajeitar.

— Será que as crianças vão puxar o "com quem será"?

Reviro os olhos para o meu amigo, embora essa probabilidade não me incomode de jeito nenhum. O que me dá medo é o que minha filha pode pedir antes de soprar as sete velinhas.

...

No fim da festa, assim que os pais buscaram os colegas de Giovana, o "Fundo de Hospital" fez a alegria de quem ficou até mais tarde. Para isso, acabei convidando os moradores do prédio, de modo que não houvesse nenhuma reclamação por conta do barulho.

Felizmente tudo transcorreu da melhor forma possível, tanto com meus pais, que agora dormem no quarto de hóspedes — e isso me apavora um pouco —, quanto com a festa propriamente dita. E Giovana foi para a cama saltitando de contentamento, tanto que não consegue cair no sono. Ela tagarela sobre tudo, da alegria de ter conseguido reunir os amigos da escola ao deslumbramento pela quantidade de presentes que ganhou. E foram muitos mesmo.

Por outro lado, faço um esforço sobre-humano para me manter acordada, ouvindo as histórias da minha filha, enquanto tudo o que mais desejo é me enfiar sob as cobertas e apagar completamente. Minhas pálpebras estão pesadas. Acho até que estou vendo bolhas rondando meus olhos. A voz de Giovana é só um eco distante, igual quando tentamos falar ou ouvir alguém debaixo d'água.

Ela não nota minha exaustão. E tagarela, e tagarela, até que...

— Eu sei que se a gente contar o pedido ele não se realiza. Quem não sabe disso?

— Uhum. — Só concordo, porque não tenho energia para estabelecer um diálogo com palavras inteiras.

— Mas como você é minha mãe e mães não desejam mal aos filhos, acho que não tem problema falar, né?

O melhor dos imprevistos

— Uhum...

Giovana suspira. Sei disso porque sinto o ar no meu rosto, já que ela está debruçada sobre minha barriga.

— Eu pedi para ter um pai. Qualquer pai, sabe? Nada muito difícil, só um pai mesmo.

Ela me deixa sem palavras e com o coração apertado. Sono? Acabou de ir para o espaço. Giovana verbalizou o que temi durante a festa inteira.

— Para eu ter um pai, você só precisa casar, mamãe. Isso é fácil. Você é tão bonita e trabalha.

— Gio, antes do casamento, temos que conhecer alguém, namorar, ver se vai dar certo... — Tento manter a leveza, quando, na verdade, sinto um nó sufocar minha garganta.

— Mãe, você já conhece um monte de gente!

Como explicar para essa criança que as coisas não são assim?

— Pensei que você se sentisse feliz em ter aqueles quatro tios que fazem de tudo por você — desconverso, justamente porque não tenho argumentos para me justificar.

— Mas eles não moram aqui — teima. — Nem beijam você.

— Giovana!

— A maioria dos pais se beija. Meus tios não beijam você.

— Porque somos só amigos.

— Então.

Minha filha se senta com as pernas cruzadas e enruga a testa para mim.

— Eu queria um pai que fosse mais que seu amigo. Aí ele moraria com a gente, beijaria você e passaria muito tempo comigo. Entendeu, mãe? Foi isso que eu pedi.

Ela é muito fofa e tudo soa natural e engraçado. Mas eu quero chorar. E o faço, longa e dolorosamente, quando chego ao meu quarto depois que Giovana pega no sono. A maturidade dela ao abrir mão do pai verdadeiro por qualquer outro acaba comigo. Nunca quis namorar alguém para não submeter minha filha ao convívio com um estranho. Proteção ou egoísmo?

43

7

Sete anos antes

— Eu não me conformo! — Já era minha terceira caneca de chope e eu não parava de falar. — Eu fui a festinha particular de despedida de solteiro daquele canalha! Como posso ser tão azarada? Se era para me soltar pelo menos uma vez, custava encontrar um cara menos cretino?

Já havia passado mais de uma semana desde o casamento da minha prima, mas eu estava presa ao meu estarrecimento.

— Ele me implorou para não contar nada à Gabi. E não sei se fiz a coisa certa omitindo dela o fato de que o noivo, agora marido, é um grandessíssimo babaca.

— Não foi culpa sua. — Juliano repetia essa frase a cada pausa que eu fazia para tomar outro gole do chope. — Foi uma cilada do destino.

— E que destino filho da puta! — pontuou Benjamin. — Além de comprometido, o traíra tinha que ser o noivo da sua prima?

— Argh!

Enterrei a cabeça entre minhas mãos, querendo arrancar cada fio de cabelo. Eu sabia que nunca mais conseguiria encarar Gabriela. Obviamente, havia razões para isso:

1) Transei com o noivo dela, um dia antes do seu casamento.

O melhor dos imprevistos

2) Omiti o fato e permiti que ela se casasse com o traidor.

— Eu sou uma pessoa horrível — choraminguei, com os olhos embaçados pelas lágrimas represadas.

— Elza, eu, no seu lugar, pararia de me martirizar — opinou Lucas. — Deixe que o destino trate de revelar para sua prima quem é, de fato, o marido dela. Mais cedo ou mais tarde, a casa cai.

Até que era um conselho animador, mas Vicente entrou com outro ponto de vista:

— Pode cair, ou não. A vida não castiga as pessoas à proporção dos erros que elas cometem. Essa tal justiça invisível, entre aspas, é um consolo que usamos para que nos sintamos confortáveis. Não é por aí que você vai se livrar dessa sensação ruim, Elza.

— Cara! — exclamou Lucas, demonstrando indignação.

Só olhei para Vicente, incapaz de reagir. Aquilo foi cruel.

— Vocês não me entenderam. — Ele tentou de novo. — O que quis dizer foi que, sendo punido ou não pelo "destino", não é isso que importa. Você transou com o cara sem saber que ele estava prestes a se casar. Que culpa você tem? E o segundo ponto é: contar para a sua prima resolveria a situação? Ela acreditaria em você? Ela romperia com ele? Alguém garante que ela não sabia das escapadas dele?

Todos nós encaramos Vicente. Como sempre, ainda que por caminhos tortos e secos, ele nos regalava com boas doses de lucidez.

— Nessa história, todos são adultos e você foi tão enganada quanto a Gabriela — emendou. — Mas já que dormiu, transou e ele se casou, agora esquece.

Dito isso, assim, sem tato algum, Vicente avisou que ia ao banheiro e saiu da mesa.

Depois do que ele expôs tão duramente, realmente vivi as semanas seguintes tentando passar uma borracha por cima da história. Minha residência médica estava apenas começando. Decidi me especializar em cirurgia geral, o que exigiria muito de mim pelos dois anos seguintes, tanto emocional como fisicamente. Então, arrebitei o nariz e prometi superar o imprevisto, como o falso Heath Ledger tivera a coragem de nomear a cretinice dele.

45

Acontece que, algumas semanas mais tarde, aquele bilhete deixado sobre o travesseiro se revelou um tanto quanto profético — se não completamente, é porque o advérbio "melhor" não representava, em absoluto, a minha realidade.

...

De um lado, Juliano apertava meu ombro esquerdo; do outro, Benjamim secava a cachoeira de lágrimas que inundava meu rosto. Enquanto isso, Lucas massageava minha nuca e Vicente andava de um lado para o outro, sem emitir um grunhido sequer, como de costume. Eu estava meio catatônica. O choro simplesmente acontecia, como se fosse uma torneira que alguém deixou aberta.

O engraçado foi que, de repente, fiquei supersensível às coisas banais ao meu redor. Talvez minha mente, de propósito, tenha arranjado um jeito de me anestesiar. O plástico que cobria a pequena mesa da minúscula cozinha da quitinete onde eu morava estava grudento, carente de um desengordurante. As vasilhas usadas na noite anterior me esperavam sobre a pia, cuja torneira soltava uma gota preguiçosa a cada seis segundos — eu contei. No apartamento ao lado, o vizinho solitário usava o aspirador de pó. Eu conseguia notar até o som que os tênis de Vicente faziam, enquanto ele rodopiava atrás de mim. E os lenços de papel que Benjamim esfregava sob meus olhos tinham um leve odor de desinfetante de banheiro — comercialmente chamado de aroma de eucalipto.

No mais, eu não sentia absolutamente nada. Embora tudo tivesse mudado assim que li as poucas letras naquele simples papel.

"Positivo".

Curioso o fato de a palavra "positivo" muitas vezes ser negativa. Refletindo sobre isso naquela tarde insuportavelmente quente, olhando para as oitos letras em destaque no papel, percebi que não há nada mais irônico do que a inversão de significados do termo.

"Positivo". "Positivo".

...

O melhor dos imprevistos

Recuo da bateria

Uma folha seca caída no chão, uma fruta desidratada, um pássaro com as asas quebradas, um peixe sem vida boiando no aquário. Eu pensava nisso tudo, enquanto olhava para Elza e enxergava o quão em frangalhos estava seu estado emocional.

O meu não era tão melhor.

Tive que engolir a inveja que senti do cara desde o momento em que Elza colocou seus olhos brilhantes sobre ele. Quanto a isso, eu já estava acostumado. Foram anos passando por essa situação, tudo porque nunca tive coragem suficiente para me declarar a ela.

Falante e extrovertida, Elza costumava deixar claro que se sentia muito especial por ter quatro amigos homens que sabiam respeitar os limites da amizade. Ela enchia o peito ao dizer, sempre que possível, que tinha encontrado os únicos quatro homens dignos deste planeta. Então, não havia espaço para mim, não se eu revelasse minha paixão por ela.

Por isso, eu já sabia lidar com a inveja dos homens com quem Elza saía. Eu engolia, respirava fundo e seguia firme, sem dar pinta. Mas a raiva, a vontade de encher de socos a cara daquele cretino traidor eram sentimentos novos e difíceis de esconder.

E agora Elza estava grávida. Todos os conselhos que demos escorriam pelo ralo, porque não dava mais para tocar a vida adiante fingindo que ela não tinha dormido com o noivo da prima.

Não apenas eu, mas nós quatro tentamos convencer Elza a aceitar que um de nós assumisse a paternidade. A insistência durou bastante, mas fomos vencidos pela resistência dela, que dizia não ser justo impor tamanha obrigação e responsabilidade aos seus amigos.

Ela não desconfiava de nada, mas eu queria tanto essa responsabilidade para mim. Meu amor por Elza chegava a esse ponto e, mais tarde, por Giovana.

Aconteceu muita coisa ao longo dos nove meses de gestação e só a lembrança desse período, agora bem distante, ainda faz meu coração doer.

8

Sete anos depois

Eu disse a Mirtes que não precisava levar Giovana para a escola, pois, milagrosamente, hoje eu tinha tido uma brecha na agenda. Desde que apanhei minha filha em casa, ela não para de tagarelar do banco de trás. Não consigo acompanhar tudo o que ela diz, porque mantenho a atenção no trânsito. Raramente dirijo a esta hora do dia e tinha me esquecido de como é um horário estressante.

— Eu estou preparada para a prova de ciências. Adoro ciências. A professora diz que eu arraso, porque tenho *gênios* de médico.

— Gênios?

— Por sua causa, mamãe. Você é médica e também adora ciências.

— Ah! — Morro de rir. — Você quis dizer genes.

— Tanto faz!

Giovana estala a língua em sinal de contrariedade, porque não gosta que achem graça dela. Gente, como essa menina é fofa!

— Você pode entrar comigo hoje? — Faz carinha de cão abandonado. — Por favor...

Ela adora me exibir para os colegas e professores. Isso porque é muito raro eu conseguir acompanhá-la até o colégio.

— Amanhã o tio Vicente vai me trazer — diz com ares de dona e proprietária da própria vida.

O melhor dos imprevistos

— Como não estou sabendo desse combinado, hein?

— Uai, mãe. Nós combinamos ontem, quando ele me ligou.

Eu me pego sorrindo que nem boba. A vida não prosseguiu conforme eu imaginava, mas tampouco eu poderia reclamar. Meus amigos amavam minha filha, e ela a eles. Embora eu soubesse que sempre pairaria sobre nossas cabeças o fantasma do pai verdadeiro de Giovana, ainda assim vivemos com leveza e felizes.

— Eu não sabia que você e os tios mantinham contato sem meu conhecimento. — Sabia, sim. Só estou puxando assunto e provocando minha menina.

— Mãe, eles que me adoram demais. Então, vivem no meu pé.

— Ah, sua convencida.

Ainda ríamos quando saímos do carro no estacionamento da escola. Giovana é puro sorriso, enquanto caminha de mãos dadas comigo, o rabinho de cavalo balançando à medida que ela troca passos.

Diferentemente do modo como minha mãe me tratava quando eu tinha a idade de Gio, procuro encorajar minha filha, para que ela cresça consciente de si, de suas potencialidades, e reconheça seus valores, a despeito do que a sociedade espera das mulheres.

De certo modo, eu tinha que dar retorno. Giovana só precisa existir.

— Ah, hoje ela está toda contente porque a mamãe veio trazê-la! — exclama a coordenadora pedagógica, que recebe criança por criança no portão. — Se tiver um tempinho, fique um pouco mais. O novo diretor fará um pronunciamento no pátio para as crianças e os pais. Nada formal, só um primeiro olá mesmo.

Eu tinha recebido o comunicado sobre a mudança na direção da escola, mas não cheguei a dar muita importância, pois foi só uma troca de unidade, ou seja, como a escola de Giovana faz parte de uma rede, o novo diretor apenas migrou.

Confiro o horário e vejo que ainda tenho um tempinho. Mas é o olhar pidão da minha filha que me convence a ficar.

Admiro a beleza do colégio, enquanto sigo Giovana até o pátio. Sempre que tenho a oportunidade de entrar, sou pega de surpresa

49

pela linda arquitetura do prédio. Eu gostaria de ter estudado numa escola assim, tão agradável ao olhar, porque acredito que o estímulo ao aprendizado vai além do que se restringe às quatro paredes de uma sala de aula. Meu estímulo para aprender foi sustentado por uma generosa quantidade de pressão. Melhor nem lembrar...

Ao avistar os colegas, Giovana deixa a mochila comigo e corre, como se o mundo tivesse mais cor na presença dos amigos. Com quem será que ela aprendeu a valorizar as amizades?

E por falar em amizades, recebo uma mensagem no grupo que divido com os meninos no WhatsApp. É uma foto da nossa mesa cativa no restaurante em que almoçamos todos os dias. Benjamim segura o celular para uma selfie mal enquadrada. Todos, exceto Vicente, apontam para a cadeira onde tenho o costume de me sentar. Como são bobos!

Respondo apenas com um emoji de olhos revirados, mas as bobagens não param por aí. Guardo o telefone na bolsa, enquanto meus amigos enchem o grupo de figurinhas idiotas. Nem parece que são os profissionais respeitáveis e adultos que os pacientes conhecem.

Avisto alguns grupos de pais reunidos no pátio e me dirijo até eles, embora prefira permanecer meio à parte. Não sou muito boa em me misturar e jogar conversa fora, exceto quando já tenho intimidade.

Na época em que Mirtes passou a trabalhar comigo, eu ainda carregava um fardo muito pesado. A culpa por ter dormido com o marido da prima e o fato de ter dado à luz a filha dele me assombravam. Meus quatro amigos faziam o que podiam para que eu pudesse me sentir melhor, mas mesmo com eles eu tinha dificuldade em me abrir completamente. Aquela história era — e ainda é — meu calvário.

A chegada de Mirtes aos poucos me fez reagir com mais aceitação. Por ela ser mulher, por ter enfrentado algumas batalhas bem pesadas também, com jeitinho ela derreteu o gelo e eu pude finalmente respirar à medida que estreitávamos nossos laços. Hoje, mais do que minha funcionária, somos amigas também, sem aquela demagogia besta que patrões exploradores usam para dissimular uma relação de trabalho indigna.

O melhor dos imprevistos

Enfim, não sou aberta como um livro. Logo, não costumo me misturar com facilidade. Prefiro ouvir a falar. Até porque ser mãe solo, cuja filha tem pai desconhecido, não me faz a pessoa mais benquista das rodinhas. O velho e indigesto preconceito enraizado nas "famílias tradicionais brasileiras".

— Boa tarde, senhoras e senhores.

Escuto o cumprimento e, em seguida, o som irritante produzido pela microfonia. O novo diretor está tentando se pronunciar, mas a tecnologia está virando um empecilho. Algumas pessoas o rodeiam, tentando resolver o problema de interferência.

Por causa do conjunto "Fundo de Hospital", sou boa com esses aparatos, mas me mantenho quieta. Não vou me meter no trabalho dos outros. E, se demorar muito, precisarei ir embora. Meu primeiro paciente da tarde está marcado às duas horas. Estremeço quando lembro que o restante do dia será longo. Além das consultas na clínica, ainda terei uma cirurgia no hospital. Devo voltar para casa tarde da noite.

Finalmente, a voz do diretor soa clara, o que me impele a colocar meus óculos, já que não o enxergo bem de onde estou. Já que estou aqui, vamos ouvir o que o novo gestor da escola tem a dizer.

Ele começa com um boa tarde protocolar e em seguida passa a explicar o motivo de sua transferência, tudo muito previsível. Ele fala em "novos desafios", "oportunidade única", "motivação", expressões de efeito que a gente ouve de empresários a técnicos de times de futebol — estes as repetem a cada vez que têm a cabeça cortada pelas equipes que andam mal nos campeonatos.

Mas há algo, além das palavras, me causando desconforto. Por não saber por que, me aproximo do palanque. O que vejo é um homem novo, vestido sobriamente, mas com elegância, muito parecido com...

— Heath Ledger! — Não dei conta de me segurar. O susto superou minha capacidade de manter minha boca fechada.

As pessoas me encaram. Mas eu não consigo reagir. Pode ser que eu esteja confundindo as coisas, mas esse novo diretor é a cara do energúmeno de quem prefiro não me lembrar.

Será possível? Pior que não prestei atenção quando ele se apresentou. Em um lampejo de lucidez, tiro meu celular da bolsa. Eu tenho que achar o e-mail da escola comunicando a troca de diretor.

Se o nome dele for Felipe...

Não. Impossível. São só algumas semelhanças. Fico repetindo isso, as mãos trêmulas, lutando para acessar o gerenciador de e-mails. Então, enquanto pelejo para descartar essa dúvida terrível, uma criança vai até o palanque e entrega flores ao novo diretor. Mesmo que eu estivesse sem os óculos, seria impossível não reconhecer Giovana. Reconheceria minha filha até no mais profundo breu.

Ele demonstra surpresa e depois a abraça.

E eu acabo de localizar o e-mail da escola. No texto está registrado o nome do novo diretor: Felipe Alves Costa.

Nunca tive a oportunidade de saber o nome completo do cretino com quem dormi pouco mais de sete anos atrás. Mas eu só precisava do primeiro para comprovar o que meu sexto sentido já havia percebido desde que vi meu amado Heath Ledger estampado na cara de pau daquele que agora tinha os braços ao redor da minha filha.

...

Mandei uma mensagem no grupo perguntando se um dos meninos podia ir me buscar na escola. Assim que a realidade bruta esbofeteou minha cara, me veio a certeza de que eu não conseguiria dirigir.

Esse negócio de destino é uma coisa muito louca. Cética que sou, eu me recuso a acreditar que as peças do universo estavam se movendo para que a situação chegasse a tal ponto. Eu me afastei da família para evitar contato com Gabriela e para fugir das especulações sobre a paternidade de Giovana. Nunca quis saber em que pé andava a vida da minha prima, se ela e o marido estavam bem, o que andavam fazendo. Nada. E onde estou agora? A poucos passos de distância do homem que decidi não ver nunca mais.

Puta merda, que horror.

Giovana acena para mim, toda orgulhosa. Deve estar se sentindo honrada por ser a aluna que levou flores ao novo diretor. Retribuo o aceno com um sorriso bambo, trêmulo, um esforço tão grande que me deixa cansada. Meu sorriso são as pernas de um bezerro que acabou de nascer; não se sustenta.

Não sei quanto tempo passa até que vejo Vicente de pé bem na minha frente. Era só o que faltava para eu arriar de vez. Eu o abraço e enterro a cabeça em seu peito.

— O que aconteceu, Elza? — Ele parece preocupado. — A Gio está bem? Ela se machucou? O que foi?

Vicente se agita, especialmente porque não falo nada. Só agora noto que não há ninguém mais no pátio. Todos já se dispersaram, enquanto fiquei aqui, como uma estátua lívida.

Balanço a cabeça e puxo Vicente. Quero sair logo da escola.

— Vamos conversar em outro lugar.

— Suas mãos estão geladas.

— Meu peito está pior.

— Elza, você está me assustando.

Nós caminhamos lado a lado, mas não fui capaz de soltar a mão do meu amigo. Aqui, agora, ele é o gancho que não me deixa esborrachar no chão, a boia enfiada nos meus braços.

— Você vai ficar muito mais assustado depois de saber o que tenho para...

— Olá, papais de...

Já estávamos quase do lado de fora do colégio, a instantes de colocar os pés na segurança do estacionamento, mas aí eis que os pauzinhos do destino — ou seria karma? — resolvem se mover novamente.

Ambas as frases, a minha e a dele, terminam no ar.

Bastou eu erguer os olhos para que tudo o mais perdesse a importância para o choque coletivo. Felipe e Vicente são os dois mais novos perplexos da história.

Bem-vindos ao time, companheiros.

9

Sete anos antes

Você, por exemplo, jamais pensaria
Que uma fantasia em um carnaval
Um simples prazer de uma noite de orgia
Pudesse algum dia causar tanto mal[4]

O samba me salvou. Se antes da faculdade nunca dei muita atenção às músicas desse gênero, depois que meus amigos e eu criamos o "Fundo de Hospital", passei a perceber detalhes que antes eu ignorava talvez por um pouco de desinformação amparada por desinteresse.

O samba me salvou. Durante a gravidez, ainda que eu estivesse atolada em obrigações por causa da residência médica, passei a estudar a trajetória do samba, o que me possibilitou conhecer suas diversas nuances.

Então, o samba me emocionou. Tantas vozes e letras lindas, tanta beleza na mais conhecida marca da identidade cultural brasileira.

---

4 . "Caixa de ódio", composição e interpretação de Lupicínio Rodrigues.

Eu me alimentei do samba ao longo dos nove meses de gestação. E, se não fosse ele, talvez eu ou Giovana — ou as duas — não estivéssemos aqui.

...

— Quem é o pai dessa criança? — questionou minha mãe.

Seu tom de voz era baixo, mas mais assustador do que se ela estivesse aos gritos. Me senti tão insignificante quanto um inseto de luz. Minha mãe, consciente ou não, era craque em me reduzir a pó.

Meu pai, meio à parte, mantinha o olhar voltado para os próprios pés. O curioso foi que eu me apeguei mais à postura dele do que ao comportamento já manjado da minha mãe. A apatia dele me machucou mais. É verdade a máxima sobre o silêncio. O não dizer pode causar um impacto mais devastador do que uma saraivada de palavras lançadas aos montes sobre nossas cabeças. Minha mãe ganhava no grito; meu pai provocava em mim um imenso sentimento de culpa sempre que se recolhia dentro de si mesmo. Ambos me deixavam desconfortável.

Eu me lembro de ter empinado o nariz e dito aquilo que julguei ser a resposta mais desafiadora possível.

— Produção independente.

Recebi um belo tapa, daqueles que estalam e deixam as marcas dos dedos na pele e uma rachadura no coração. Foi dado por minha mãe.

— Bete... — repreendeu papai, mas tão inerte quanto antes.

Olhei para a janela de vidro, fechada por causa da chuva que caía como uma cortina lá fora, mas as lágrimas que segurei embaçavam a vista mais que o temporal.

Eu não queria estar grávida. Aquele bebê não era desejado.

Talvez eu também não tenha sido...

...

— Uma menina! — revelou a médica, enquanto apontava para o monitor, mostrando aquilo que aparentemente dava garantias sobre o sexo do bebê.

Benjamim, exultante, apertou minha mão e engatou um diálogo entusiasmado com a ginecologista, que já estava acostumada com o revezamento dos meus acompanhantes durante o pré-natal.

— Uma menina! — exclamou. — Eu sabia desde o começo. Mas todo mundo me contradisse. Agora vão ter que cumprir a aposta.

— Aposta? — repetiu a médica. — Vocês são impagáveis.

Em cima da minha protuberante barriga, a meleca gelada me provocava arrepios — ou seria a constatação cada vez mais concreta de que eu estava gerando uma criança dentro de mim?

Depois da consulta, Benjamim me arrastou até o shopping, dando uma desculpa esfarrapada. Mas eu logo saquei sua verdadeira intenção, quando fui puxada para dentro de uma loja de artigos para bebês.

— Benja, não!

— Não o quê? Não estou te pedindo nada, Elza. Quero comprar um presente para minha sobrinha. Não posso?

— Eu...

A terapeuta teria trabalho comigo essa semana, eu já previa.

Fiz de tudo para ignorar a empolgação de Benjamim, enquanto ele escolhia todo tipo de item dentro da loja.

— Fulaninha vai ficar fofa demais. Posso até imaginar.

— Fulaninha? Que palhaçada é essa, criatura?

— Uai, como vou chamar minha sobrinha se você ainda não escolheu um nome? Nem nome, nem nada, né, Elza? — Senti o tom de repreensão. — Pensa que ela não sente essa apatia toda? A pobrezinha tem culpa de alguma coisa? Vira a página, amiga, pelo bem de vocês duas.

Benjamim não era de dar sermões. Mas o puxão de orelha foi claro.

Saímos do shopping cheios de sacolas e em silêncio.

— Temos ensaio agora — avisou.

— Hoje, não.

— Hoje, sim.

— Benja...

— Entrega nas mãos do samba, Elza.

10

Sete anos depois

Heath Ledger, digo, Felipe, ou melhor, o novo diretor da escola onde minha filha estuda desde os dois anos de idade, me encara com espanto, como se eu fosse uma assombração. Ah, ele não sabe da missa a metade. A minha presença como mãe de uma aluna não é nada perto da verdade por trás da existência dessa mesma aluna.

— Tudo bem? Nossa, quanto tempo, é... — Ele está claramente embaraçado e sequer lembra meu nome.

— Vocês se conhecem? — Vicente se faz de bobo, procurando minimizar a situação.

— Na verdade...

— Não necessariamente — interrompo a resposta dele. — É só o marido de uma prima.

— De qual delas? São tantas. — Meu amigo está dando seu melhor e eu quero abraçá-lo por isso.

— Pois é.

Nosso falatório atordoa Felipe, a deixa que precisávamos para irmos embora logo.

Entrego a chave do carro para Vicente, que espera até que estejamos seguros aqui dentro para, aí sim, verbalizar seus pensamentos.

— Que merda, hein, Elza. Que coincidência horrorosa.

Suspiro pesadamente antes de relatar a ele o que aconteceu, quando Giovana não só entregou as flores ao "novo diretor", como o abraçou também. Vicente me ouve de boca aberta — e olha que impressioná-lo não é uma tarefa fácil.

Ele fala um monte de coisas, mas não assimilo nada. Minha cabeça de repente parece não pertencer a mim mesma. Gira por conta própria, como uma roda-gigante desgovernada.

Eu, que esperava nunca mais olhar nos olhos daquele homem, agora me via diante dessa complexa realidade. Giovana acabou de completar sete anos. Entende que não tem um pai, mas isso não durará para sempre. Que tipo de mãe eu serei se mantiver esse segredo guardado eternamente?

Não sei mais se a prudência anda ao lado do que é o certo a ser feito. Não sei de mais nada.

— No meu lugar, o que você faria? — pergunto de súbito.

Vicente não responde de imediato, o que considero uma atitude louvável. Sei que da sua boca não sairão palavras de conforto vazias de algum significado. Ele sempre pensa, reflete, analisa e pondera antes de soltar qualquer conclusão. Acho isso mais reconfortante do que consolo puro e simples.

— O que você acha que é o certo a ser feito, Elza? Manter o segredo, conversar com o cara, transferir a Giovana para outro colégio? Tudo tem seus prós e contras, não é?

— Eu não aguento mais fugir... — murmuro, cansada. — Imagina eu sacrificar minha filha, afastando-a dos amigos por causa daquele idiota. Não é justo...

— Concordo.

— Mas não sei o que fazer. E nem é por causa do embuste, claro. Minha preocupação é só com a Giovana. Quanto mais crescida ela fica, mais difícil vai se tornando toda essa situação. Tenho medo de que ela não me perdoe se um dia souber de tudo. Mas não saber também é horrível, uma traição diária.

— Você não precisa resolver nada agora, Elza, principalmente porque está em choque. Calma. Por enquanto, tudo está sob controle.

O melhor dos imprevistos

A voz de Vicente é tão destituída de emoções, tanto que quem não o conhece acredita que seja um homem sem coração. Mas soa como um tipo de calmante para mim. Quem se emociona com o samba e trata uma criança com tamanha amabilidade não pode ser uma pessoa fria. Meu amigo é seco, só isso.

— Você acha que ele pode, sei lá, fazer alguma conexão entre a idade da Giovana e o que tivemos anos atrás? — Estou cheia de inseguranças e medos.

O carro desacelera lentamente, porque o sinal alguns metros à frente ficou vermelho. Vicente tira uma das mãos do volante e aperta meu ombro, um gesto bem sutil, mas também reconfortante.

— Ele não sabe quem é sua filha, Elza. E tampouco imagina que você cuida dela sozinha. A essa hora, ele deve estar preocupado com a possibilidade de você reencontrar a mulher dele. Espero que aquele canalha tenha os miolos incinerados de preocupação.

Acabo rindo, porque meu amigo é desajeitado até para imprecar.

Não tenho muito tempo de pensar sobre isso porque o restante do meu dia é bem cheio. A certa altura da tarde, uma paciente me diz:

— Doutora, embora meus exames estejam bons, eu tenho sentido uma dor aqui. — Ela bate o punho no peito e exibe uma expressão de sofrimento. — Todo dia, toda hora. Eu mal consigo respirar. Às vezes penso que vou sufocar.

Ela que não sabe que esse mal também me atinge de tempos em tempos. Mas faço uma cara neutra e prescrevo aquilo que não se pode encontrar em farmácias:

— A senhora gosta de música?

A paciente franze a testa, um sinal claro de que está duvidando do meu profissionalismo ou da minha sanidade.

— Claro — responde, hesitante.

— Já ouviu "Acalanto", da Teresa Cristina? É um samba suave, quase uma moda de viola.

— Eu acho que... não.

Isso acontece constantemente. Toda vez que entro com uma receita musical, recebo em contrapartida um olhar duvidoso.

— Tire um tempinho para ouvir as canções da Teresa. Faça isso quando estiver angustiada ou antes de dormir. Ouça baixinho, prestando atenção nas letras. Com o tempo, eu garanto que se sentirá melhor.

— Mas, doutora, e música por acaso é remédio?

— Um poderoso remédio, eu diria. Eu mesma faço uso constante.

Sorrio genuinamente, tendo um lampejo.

Assim que a paciente sai do consultório, recosto mais confortavelmente e consigo até sorrir com certa leveza. Percebo, não pela primeira vez desde que me tornei médica, que preciso fazer uso pessoal das receitas que indico para os outros. Sou a personificação do "faça o que digo".

Uma batidinha à minha porta e três cabeças invadem meu consultório abruptamente.

— Terminou por hoje? — pergunta Lucas, que me entrega uma caneca fumegante de café com leite.

— Até que enfim. — Faço cara feia, porque acabo de queimar o lábio inferior com a bebida quente.

— Então, vamos.

Benjamim me arrasta consultório afora, seguido por Lucas e Juliano, que não me dão explicação alguma.

— Ei, gente, o que estão fazendo?

— Vamos beber em algum lugar por aí.

— Estão doidos? Eu não posso. A Mirtes precisa ir para casa, lembram?

— Vicente vai ficar com a Gio. Não se preocupe. Hoje à noite seremos só nós quatro, sem aquele mala ranzinza.

Incrível como eles resolveram tudo por mim, e mais inacreditável ainda é que eu estou seguindo a doideira deles.

— E se não quiser falar do susto de hoje cedo... — sugere Juliano, com sua doçura de sempre.

Eu sabia que eles já sabiam.

— Vamos deixar rolar — digo, dando de ombros. — Sem pautas preestabelecidas para hoje, certo?

O melhor dos imprevistos

— Assim que eu gosto, garota. — Benjamim beija o alto da minha cabeça e depois enlaça meus ombros com seu braço torneado.

Eu já me sinto bem melhor.

...

— Tem um cara paquerando você bem debaixo dos nossos narizes, Elza. — Lucas está meio embriagado e não se envergonha de proferir essas palavras usando o maior volume de decibéis possível.

E aponta o dedo, ainda por cima!

— Lucas! — Bato na mão dele.

— Ei, cara, ela está com a gente.

Minha nossa. Escondo o rosto entre as mãos.

— Do jeito que você falou, parece que somos um... como se diz? — indaga Benjamim, puxando o termo certo da memória, mas sem sucesso.

— Trisal! — diz Lucas, acreditando ser o deus da sapiência.

— Trisal são três pessoas, seu sem noção! — Juliano entra na história. Acho que só eu estou sóbrio por aqui. — É poliamor.

— Isso. Vão pensar isso da gente.

— Foda-se! — exclama Lucas. — Que pensem. Mas ela está com a gente, seu *farialimer*. No caso de estarmos em Belo Horizonte, seria *Savassimer*?

Levanto o rosto o suficiente só para ver que o sujeito em questão está pouco se importando com nós quatro.

Então, eu me permito rir.

— Vocês são uns idiotas.

— Mas pelo menos te deixamos feliz.

Eles têm razão.

— Sou tão egoísta — desabafo de repente. — Vocês estão sempre disponíveis para mim, mas eu não retribuo na mesma medida.

— Epa, epa, epa! Pode parar, Madame Blue. — Benjamim espalma as mãos, ou melhor, uma delas, porque a outra segura fragilmente sua caneca de chope.

Marina Carvalho

— Madame Blue? De onde tirou isso?

— Acabei de criar, mas combina direitinho com esse seu jeito meio deprê de sempre.

Nós o encaramos ainda sem entender.

— "Blue" em inglês também significa "para baixo". Não sabem disso, seus alienados?

— Não sou blue! — Jogo um amendoim em cima dele.

— Benja está certo. Madame Blue é um ótimo apelido para você. — Lucas dá razão e ganha mais de um amendoim como contra-ataque.

— Você não é egoísta, Elza — apazigua Juliano. — Só mais problemática que nós.

Depois dessa, não sobra um só amendoim para contar história.

Quando chego em casa, já é quase meia-noite. A única parte iluminada do apartamento vem da lâmpada do corredor. Ela sempre passa a noite acesa, pois nem Giovana nem eu gostamos de escuridão completa. Chego a sentir que o ar me falta na ausência de ao menos um mísero fiozinho de luz. Um trauma de infância, talvez, já que minha mãe não permitia lâmpadas acesas desnecessariamente. *"Energia elétrica é o olho da cara, não sabe? Somos sócios da Cemig, por acaso?"*, repetia ela vezes sem fim, referindo-se à companhia que fornece energia para Minas Gerais, um jeito de justificar sua falta de sensibilidade. Eu era uma criança medrosa. Ela, uma mãe durona.

Entro no quarto de Giovana e só percebo que ela dorme confortavelmente em sua cama e Vicente está apagado no chão quando meus olhos se acostumam com o escuro. Vejo um livro de histórias infantis aberto e apoiado em sua barriga e fico imaginando que meu amigo caiu no sono vencido pelo cansaço. Penso em acordá-lo para que se deite num lugar mais confortável, mas, antes disso, seu celular acende e vibra, e leio o nome da sua namorada escrito na tela. Ele abre os olhos e atende de supetão.

Sei como é isso. Médicos não resistem a uma chamada fora de hora.

— Hum... Maria.

Aceno para ele e saio do quarto. Apesar de ter passado horas no bar com os outros meninos (todos na casa dos trinta, mas sempre

62

serão "os meninos" para mim), acho que comi pouco. Encontro uma tigela de macarrão na geladeira e não me preocupo em esquentá-la antes de atacar o prato. Está gostoso, graças a Mirtes.

Mastigo, pensando no longo dia que tive e no aborrecimento principal, que é a presença de Felipe tão perto de nós de agora em diante.

— Posso te ouvir ruminar.

— Cruzes, Vicente! Você me assustou — reclamo, com a boca cheia. — E não estou mastigando alto.

— Falo das engrenagens da sua cabeça.

Vicente pega um garfo e o mergulha na tigela, aproveitando-se do meu macarrão.

— Ei, não roube minha comida — protesto, quase abraçando a vasilha.

Ele não me dá bola e continua atacando a macarronada gelada.

Ficamos em silêncio, dividindo a massa fria. Aos poucos, a letargia provocada pela bebida vai se dissipando. Sinto um cansaço tão grande, que mal posso me manter de pé.

— Foi tudo bem por aqui hoje? — A pergunta sai no meio de um bocejo.

— Como sempre.

— Obrigada. Você e os outros ajudaram a diluir a tensão deste dia esquisito.

Vicente ergue uma das sobrancelhas, minimizando o agradeci-mento. Nenhum deles aceita minha gratidão quando se trata do que fazem por mim e por Giovana. Uma vez Juliano explicou a situação assim: "Não pense em nós quatro como pessoas que prestam favores a você, Elza. A gente vai na toada do dia a dia. É do jeito que tem que ser".

— Espero que tenha se divertido, pelo menos.

— Deu para relaxar. Mas estou exausta.

— Tome um banho. Na verdade, você está meio fedida — acusa Vicente, sem cerimônia.

Dou umas fungadas nas axilas e descubro que ele tem razão.

— Dia longo, boteco malcheiroso.

11

Sete anos antes

Havia uma poltrona aconchegante próxima ao berço. Ela apareceu um dia, por obra de Lucas. Não fosse ele, o quarto de Giovana não teria a aparência de um mundo encantador para bebês. Seria só um quarto mesmo.

Envolvida por um roupão felpudo, eu estava parada à beira do berço, de pé, indiferente à poltrona convidativa, apesar do imenso cansaço. Não sei dizer por quanto tempo eu permanecia na mesma posição, observando Giovana inspirar e expirar suavemente, embalada num sono tranquilo. Eu só fazia olhar e, de vez em quando, verificar se ela estava respirando.

De repente, eu me pus a cantarolar "Carinhoso", bem baixinho. Foi naquele momento, depois de dias de muitas angústias e culpas, que vesti a carapuça de mãe e resolvi que cuidaria incondicionalmente daquela criança. Ela não cresceria pisando sobre cacos de vidro, como eu. Não titubearia em contar comigo para tudo, porque eu estaria lá, disponível.

— "Meu coração, não sei por quê, bate feliz quando te vê".

Giovana abriu os olhos preguiçosamente e se movimentou dentro do berço, esfregando as mãozinhas fechadas no rosto. Colocou a língua para fora e depois sorriu. Chorei. Mas, diferentemente dos

O melhor dos imprevistos

choros de todos os outros dias, esse foi um divisor. Chorei de alívio e felicidade, porque compreendi que eu tinha diante de mim o ser mais importante da minha vida e que nada jamais mudaria essa constatação.

A partir daquele dia, eu me tornei uma leoa. Nada depois da minha formatura havia saído conforme eu imaginava. Só que, agora, eu entendia que Giovana era o melhor dos imprevistos. Ela sim, mais nada.

12

Sete anos depois

𝓔u preferiria me manter o mais afastada possível do colégio de Giovana, mas nem todos os desejos acabam se tornando realidade. O convite era claro. Por mais que eu tivesse argumentos suficientes para declinar, por minha filha eu tive que dizer sim. Trata-se de uma roda de conversa sobre as profissões dos pais dos alunos do segundo ano. Pelas minhas contas — e pelo brilho no olhar das crianças —, estamos todos presentes.

Meu nervosismo até passou porque, felizmente, o diretor Ledger não deu as caras, o que contribuiu muito com meu bom estado de espírito. Sendo assim, quando chegar minha vez, falarei com alegria a respeito do meu trabalho, editando os dissabores porque não tenho diante de mim uma turma de pré-universitários indecisos sobre o futuro. São apenas pequenos e orgulhosos alunos do ensino fundamental. Esse tipo de realidade não precisa bater à porta deles por ora, não quando o sonho profissional da maioria é ser astronauta, jogador do Real Madrid, youtuber ou gamer.

Giovana disse para mim outro dia que quer trabalhar numa fábrica de brinquedos quando crescer.

— Deve ser tão divertido! — Essa foi a explicação que ela deu.

Benjamim estava por perto e deu corda:

O melhor dos imprevistos

— Existem outras opções caso essa não dê certo, Gio. Imagina trabalhar numa fábrica de chocolate? Ou num parque de diversões? Na Disney!

— Sim! Eu quero. Eu posso, mamãe?

Respondi que ela poderia ser o que quisesse, e não falei da boca para fora. Eu não desejava para Giovana o tipo de pressão que sofri da minha mãe. Eu não tinha só que ser uma boa aluna, eu precisava ser a melhor. Não bastava ter passado em medicina, por que não fiquei entre os primeiros colocados?

Somos nós que, biologicamente, damos vidas aos filhos. Damos. Deu, está dado. Sou totalmente contra a coerção do destino deles. Sou apoio, não volante.

Deixo os devaneios de lado para apreciar a fala de uma das mães, que é socióloga e professora universitária, além de ativista pelos direitos das mulheres negras. Percebo que alguns pais se remexem desconfortáveis em suas cadeiras, aqueles do tipo que se ofendem diante dos direitos humanos. Para deixar claro que não sou como esses, passo a balançar a cabeça com veemência a cada afirmação proferida pela mulher. E não deixo de parabenizá-la pela palestra brilhante.

— Acho que as crianças me entenderam melhor que os adultos — sussurrou ela para mim, durante o intervalo.

— Bom sinal, sinal de esperança.

Sou a próxima a apresentar. Eu meio que preparei um teatro, trazendo o estetoscópio para sentir o batimento cardíaco dos alunos, que adoram a brincadeira. Na verdade, eles a levam muito a sério.

— Hum... Acho que seu coração está com fome — digo para um, que tem um ataque de risos.

— O seu parece estar com sono. — E assim vou brincando com todos, criando um clima descontraído, antes de começar a explicar meu trabalho como médica.

O brilho no olhar de Giovana me conta que estou me saindo muito bem. Então, eu me empolgo, satisfeita com minha performance diante das crianças.

— Você receita injeção para as pessoas? — pergunta uma aluna, cujo dedinho estava apontado para cima desde que comecei a falar.

— Se for preciso, sim.

— E comprimido? — Outro questiona. — Eu não consigo engolir comprimido, sabia? Quando a gente viaja, minha mãe me obriga a tomar remédio porque eu vomito. Só que se eu tentar engolir um comprimido, vomito também.

Várias vozes se juntam a essa confissão, solidárias e empáticas. Rio discretamente.

— Existem remédios líquidos, mas é importante tentar engolir comprimidos, aos pouquinhos.

— Eu gosto daqueles que a gente toma na seringa.

— Eu também! Tem gosto de morango.

— Eu não! No fim, amarga.

Giovana levanta a mão, pedindo a palavra.

— Minha mãe, às vezes, receita música para os pacientes.

Subitamente, a sala emudece e todos, crianças e adultos, me encaram com espanto e desconfiança.

— Música não é remédio — escarnece um dos alunos, olhando para mim como se eu fosse a mais charlatã das criaturas.

— É verdade — digo. — Música não pode ser comprada em farmácia, ou tomada como comprimido, ou aplicada na veia, certo? Música a gente escuta, aprecia, canta, dança. Não é?

— Siiiiiim! — respondem, em coro.

— Mas a música tem a capacidade de nos fazer feliz, de nos fazer pensar em coisas boas. E quando a gente se sente feliz, nosso corpo também fica contente. Aposto que todos aqui gostam quando os professores colocam alguma música durante as aulas. Verdade?

— Siiiiiim!

— Eu adoro música na aula de inglês! — Um menininho emite sua opinião.

— É, a professora deixa a gente até cantar.

Começa um burburinho na sala, que tento acompanhar. Eu não imaginava que iria me divertir tanto.

— E que tipo de música você receita a seus pacientes?

E não é que o diretor decidiu aparecer de mansinho? Desvio o olhar na direção da voz que me fez esse questionamento e me deparo com um Heath Ledger em trajes formais. Não sucumbo, apesar de sofrer uma ligeira demora para formular a resposta.

Manter Giovana nessa escola é uma decisão perigosa. Transferi-la para outro colégio seria cruel. Então, eu, a adulta da nossa relação de mãe e filha, terei que aprender a administrar a situação.

— Samba! Minha mãe tem um grupo de samba com meus quatro tios.

Enquanto todo mundo na sala reage com surpresa à resposta dada por Giovana, acompanho a reação de Felipe, que agora olha para minha filha de um jeito que faz minha coluna vertebral gelar. É óbvio que ele está processando as informações explícitas. Por mais que sejam necessárias muitas deduções, burro o homem não é. Alguns detalhes são fáceis de perceber, como a idade de Giovana, o fato de eu ter me afastado da família e, sim, o nariz dela. O nariz da minha filha é uma cópia do nariz daquele cretino.

Deixa de ser besta, Elza, eu me repreendo. Nada será assimilado assim, instantaneamente. Acho que não. Será?

A verdade é que, quando escondemos um segredo, pode ser até mesmo uma coisa à toa, qualquer ventinho se transforma em vendaval. Agora eu não sei se o que vejo são só caraminholas da minha cabeça ou não.

— Samba? Mas agora eu fiquei boquiaberta! — A mãe socióloga que palestrou antes de mim abre um sorriso. — Não imaginei que gostasse, muito menos que tocasse em um conjunto. Adoraria ver. Tento não parecer rude, então deixo de lado minha preocupação com o diretor, por enquanto.

— Nós descobrimos o interesse pelo samba na faculdade. Acabamos formando o grupo e tocamos até hoje, quando é possível.

— Que curioso. Mas com um nome como o seu, a impressão que tenho é de que nasceu predestinada — comenta a professora que organizou o bate-papo com os pais.

— Todo mundo me diz isso — conto, sorrindo. — Mas acredito que seja pura coincidência mesmo.

A sala inteira acha graça, menos Felipe, que continua olhando para Giovana. Até que, de repente, ele muda a direção do olhar e me encara. A testa está franzida e uma das sobrancelhas, arqueada.

Como médica, aprendi a armar expressões neutras diante de pacientes e suas famílias quando a situação é delicada e exige atitudes cuidadosas. Aproveito essa habilidade agora para não dar pistas de coisa alguma para Felipe.

— Onde vocês tocam? E quem são os quatro tios?

Giovana deixou todo mundo ouriçado, mais os pais que as crianças, para ser sincera. Afinal, o que elas entendem de samba? O mundo delas ainda é outro.

— No quintal do vô Roberto, pai do tio Juliano. E também tem tio Lucas, mas é José Lucas, só que ele prefere só Lucas. E tio Benja, mas ele fica bravo quando alguém fala Benja. E tio Vicente.

A explicação de Giovana deixa todo mundo atordoado. Ela fala como se fosse possível para desconhecidos acompanhar o raciocínio.

— O grupo chama "Fundo de Hospital".

— Genial! — exclama a socióloga, que bate palmas entusiasmadas, contagiando os demais. — Eu quero ver uma apresentação um dia desses. É possível?

— Vez ou outra, a gente toca para o público, normalmente em festas de conhecidos ou em algum barzinho que costumamos frequentar. Mas isso é raro. Trabalhamos muito e nossos horários são difíceis de combinar.

— Todos são médicos?!

— Todos nós.

Felipe me olha de um jeito diferente. Então, também faz uma pergunta:

— São todos tios, Giovana?

— Aham.

— Legal, hein — comenta ele, com cara de quem está colocando os neurônios para trabalhar freneticamente.

O melhor dos imprevistos

Alguém me pede uma palhinha, eu recuso, com a desculpa (verdadeira) de que seria bastante embaraçoso cantar um samba ou pagode à capela dentro da sala de aula onde minha filha estuda.

— Você é uma médica fora dos padrões — me diz a socióloga no fim do evento, quando estamos nos preparando para deixar a escola. — Gostei do seu jeito. Já sei a quem recorrer quando precisar de um remédio para o corpo e para a alma.

— Fico lisonjeada por receber seus elogios.

— Vamos manter contato. Quero ir ao show do "Fundo de Hospital" dia desses. — Ela me entrega seu cartão de negócios. Faço o mesmo.

— Não é bem um show, mas será bem-vinda.

A gente se despede do jeito mineiro, com três beijinhos.

Aceno para Giovana, que terá aulas até o fim da tarde ainda. E apresso os passos, com a intenção de sair o mais rapidamente possível daquele lugar. Não é um território seguro, conforme minha complexa situação.

Mas...

— Elza, ei!

Eu já previa que isso acabaria acontecendo.

— Tudo bem se eu acompanhar você até o estacionamento? — pergunta Felipe, que de perto lembra mais ainda meu amado Heath Ledger. Que injustiça!

— Não entendo por quê.

— Não mesmo? Pois eu estou um pouco confuso, cheio de dúvidas, para ser bem honesto.

Ele está confuso; eu, em pânico.

— Será que poderíamos conversar com mais calma em outro lugar? Que tal um café?

— Você só pode estar de brincadeira.

— Não quero fazer aqui as perguntas que me vieram à cabeça.

— Então não as faça — digo rispidamente, o que só faz aguçar ainda mais a curiosidade de Felipe.

— Não devo ou não posso?

Não respondo. Tenho a impressão de que mais algumas palavras e entregarei toda a verdade a ele.

— Elza... — Felipe pronuncia meu nome de modo suplicante.

— Elza! — Uma terceira pessoa aparece e me chama com entusiasmo.

Devo viver numa série de suspense, em que cada episódio termina com uma surpresa para o público.

Tudo o que sempre fiz depois que engravidei foi viver minha vida para não arruinar a de outras pessoas. Engravidei de quem não deveria, vivi uma época mergulhada na culpa, me libertei (de certa forma). Até que volto meio que ao ponto de partida. É ou não é um ato de roteirista ávido por cativar o público e garantir a próxima temporada?

— Elzinha, eu não acredito!

Quem não acredita sou eu.

— Gente, anos que não nos vemos e de repente! Aqui estamos, assim, do nada.

Gabriela está parada na minha frente, maravilhada, linda, feliz.

— Prima do céu, que alegria! — exclama ela, de braços abertos, prestes a me envolver.

Recebo seu abraço, tão apertado e sincero que lacrimejo. Por cima dos ombros de Gabriela, encaro Felipe. Quanto constrangimento em um único instante. Tudo isso suscitou a lembrança de um samba de Lupicínio Rodrigues, melancolicamente interpretada por Alcione e Jamelão.

Nunca, nem que o mundo caia sobre mim
Nem se Deus mandar, nem mesmo assim
As pazes contigo, eu farei
Nunca, quando a gente perde a ilusão
Deve sepultar, o coração, como eu sepultei.[5]

---

5   "Nunca".

13

No começo, eu recebia telefonemas e mensagens quase todos os dias. Toda a família queria entender meu afastamento, embora eu nunca tenha sido a parente mais presente e entusiasmada. Mas eu sempre dava um jeito de aparecer quando a ocasião exigia. Isso antes do acontecido.

Quando eu era pequena, costumávamos passar fins de semana e as férias no sítio do meu avô materno. Era apenas um simples pedaço de terra, com algumas criações e plantações para a própria subsistência dos meus avós. Elas mantinham um chiqueiro com três ou quatro porcos, por exemplo. Cuidavam deles até que estivessem prontos para o abate. Eu mesma presenciei alguns, o que me escandalizou para sempre.

Utilizavam o mesmo método com as galinhas, que eu adorava alimentar com muito milho. Eu as engordava sem saber que acabariam virando almoço para toda a família aos domingos. Havia vacas para o leite que consumíamos, horta para os vegetais de todas as refeições, pomar para que as frutas da época fossem consumidas à sombra de suas próprias árvores.

Amei esse tipo de interação familiar por muito tempo. Foi a fase mais livre da minha vida, algo quase primitivo que não exigia que eu fosse perfeita em nada, diferentemente de quando eu estava em casa, na cidade, sob a mão de ferro de minha mãe.

A roça tinha cheiro de liberdade. É desses tempos que sinto a maior falta.

Então, veio a medicina e, depois, Giovana.

A menininha de joelhos esfolados, cabelos ao vento e pés descalços, agora adulta e menos livre, deixou a família confusa.

As ligações e mensagens ficaram raras, até que pararam de vez.

Difícil persistir quando a outra parte quer ser esquecida. Infelizmente, esse foi o único caminho possível.

— Ah, não. Venha tomar um café comigo. Agora mesmo.

Gabriela segura minhas duas mãos, como se ela soubesse que se as soltar eu vou fugir.

— Só vim deixar meu laptop com o técnico de informática da escola. Tive um probleminha com o computador e o Lipe disse que não tinha problema trazê-lo aqui — explica Gabriela, o que me parece ser o que há de mais complicado no cotidiano dela.

Bom, acho que estou sendo amarga.

— Vamos, Elzinha. A gente não se encontra há anos. Um cafezinho apenas, por favor.

Eu me meti num mato sem cachorro, bem emaranhado e obscuro. Meu coração só falta sair pela boca, tamanho meu estado de estresse. Difícil escapar desse imbróglio.

Quase imperceptivelmente, Felipe move a cabeça, dizendo sem palavras para que eu não vá. Rá! Ele não me conhece. Não sabe que na maioria das vezes "não" para mim quer dizer "sim".

— Tá bom, Gabi. Tenho um tempo até precisar voltar ao trabalho.

— Ah! — Ela me abraça de novo, só que agora eu me permito ser contagiada pela alegria da minha prima.

Acabo de descobrir que sinto falta disso, do calor familiar. Bom, só um pouco.

Nós nos sentamos numa cafeteria perto da escola e escolhemos uma mesa na parte externa, embaixo de um caramanchão coberto por buganvílias. O clima e o ambiente estão ótimos. Já meus nervos...

O melhor dos imprevistos

Peço um chá em vez de café, pensando que assim, talvez, eu me sinta menos tensa.

— A vida é muito doida, né? Depois de anos, viemos parar na mesma cidade e nos reencontramos repentinamente. Inacreditável.

Sorrio para Gabriela, mas trocaria o adjetivo "doida" por algo mais forte, como "babaca" ou coisa do tipo.

— Apesar do tempo e da distância, parece que foi ontem mesmo a última vez que nos vimos. — Minha prima franze a testa, pensativa. — Meu casamento, não foi?

— Acho que sim. Depois disso, quase não voltei à nossa cidade.

— Nem eu. Moramos por um período no exterior, por causa do meu pós-doutorado. Em seguida fomos para Brasília, até que pintou uma oportunidade por aqui.

— Eu soube da ida de vocês para o exterior. Holanda, certo? — Fiquei bastante aliviada com essa notícia na época.

— Escócia. Foi ótimo viver lá, mas estar de volta é melhor. Senti muita falta dos meus pais, da família. Quer dizer, também não é assim. — Ela ri e seu rosto se ilumina. Completa, entre dentes: — Impossível ter saudade de todo mundo, né, Elzinha? Família.

— Família... Mas agora que estão aqui, quais são os planos? Pretendem se estabelecer de vez?

Cruzo os dedos, na esperança de que ela diga que não.

— Eu passei em um concurso da Universidade Federal. Agora sou professora permanente no departamento de biologia. E o Felipe gostou da escola e das condições de trabalho. Então...

— Fico feliz por você, Gabi. Por vocês — corrijo depressa.

Ela me conta onde estão morando, já se assegurando de que irei visitá-los em breve. Concordo só para ser educada e não causar desconforto. Nem amarrada pisarei na casa daquele mentiroso.

Talvez eu devesse fazer um curso no exterior...

— Sua filha estuda na escola do Felipe?

A pergunta surge sem preâmbulos, mas eu já estava preparada. Desde que aceitei o convite de Gabriela, fiz minha cabeça para encarar esse assunto com a maior naturalidade possível.

75

— Para você ver como este mundo é pequeno.

— Estou chocada! Quase impossível algo assim acontecer, mas...

Ela não sabe que sou praticamente casada com o impossível e como a vida dela e a minha vivem se esbarrando ao acaso.

— Quando vou poder conhecê-la? De vez em quando vejo fotos dela nas suas redes sociais. Como é linda!

— Eu sou uma negação com compromissos, Gabi. Não posso marcar nada, porque ou dou bolo ou adio.

— A gente dá um jeitinho. Quero muito conhecer a Giovana. Adoro crianças.

Pode ser impressão minha, mas noto um peso meio tristonho nessas últimas palavras. Até onde eu sei, Gabriela não tem filhos. Fico doida para perguntar se é porque eles não querem, não têm tempo ou não podem, mas me controlo. Do mesmo jeito que detesto que especulem sobre minha vida, ela também não deve achar nada bom que façam isso com ela.

Como esse comentário não rende, nós partimos para outros assuntos, e o encontro vai ficando divertido, leve, gostoso, uma conversa descontraída entre duas mulheres que se conhecem desde sempre e compartilham histórias de uma vida inteira. Falamos principalmente sobre nossas carreiras, das quais cada uma se orgulha bastante.

— Eu não sabia que o "Fundo de Hospital" existe até hoje. — Ela fica admirada quando comento. — Nem que fosse tão próxima daqueles quatro gatos ainda.

— Existe e é uma válvula de escape das tensões do dia a dia.

— Lembro que tia Bete ficou uma arara quando soube que vocês tinham criado o grupo. Ninguém na família imaginava que você não só curtia como tocava samba.

Dizer que minha mãe ficou uma arara era um baita eufemismo. Ela, que não aprovava muito minha amizade com os meninos na época, armou a maior cena. O argumento de que eu desviaria o foco dos estudos foi o mais suave entre tudo o que ela usou para me chamar de leviana. Daí para baixo. Mas isso é história para outra ocasião.

O melhor dos imprevistos

— O curioso é que eu nem dava bola para o samba e jamais havia tocado qualquer coisa. Foi uma ideia repentina que deu certo. Aí passei a amar e, desde então, não vivo sem.

— Que interessante, Elza. E os meninos? — Ela ri, dando um tapa no ar, rejeitando o que acabou de dizer. — Meninos!

— De vez em quando, são aqueles meninos imaturos de antigamente mesmo.

Enquanto bebo um gole do meu chá, sinto o olhar de Gabriela avaliar meu rosto.

— Seus olhos chegam a brilhar quando você fala deles — observa ela.

— Somos muito próximos, muito amigos.

— Só amigos?

— Gente, todo mundo me faz essa pergunta. Por que não?

— Por nada, mas pensei que um dia rolaria algum tipo de interesse diferente. Era o que todos imaginávamos.

Reviro os olhos.

— Entendo que, de fora, seja estranho o que nós cinco temos. São amizades que começaram descomplicadamente e se fortaleceram. Isso porque eles são pessoas bacanas, uma raridade neste mundo perversamente machista.

Gabriela fica um tempo em silêncio, o olhar perdido acima da minha cabeça.

— Está tudo bem?

Ela volta a sorrir, mas a alegria não chega aos olhos.

— Sim, estava pensando nos rumos que a vida toma. Fico feliz que tenha preservado suas velhas amizades.

Conversamos mais um pouco, até que me dou conta de que estou prestes a me atrasar para o trabalho. Odeio deixar paciente esperando, então...

— Preciso correr, Gabi. Estou em cima da hora.

— Ah, Elzinha, amei ver você. — Ela se levanta, contorna a mesa e me abraça. De novo. — Não vamos perder contato. Sei que tem muitos amigos, mas também sou boa companheira.

Ela pisca de um jeito muito fofo e descubro que também adoraria fortalecer os laços com minha prima.

Se a droga do destino fosse menos traiçoeiro...

...

Recuo da bateria

Estamos em formação, cada um devidamente posicionado para o começo do show. O restaurante onde almoçamos juntos quase todos os dias está fazendo aniversário e nos chamou para animar a comemoração. A princípio, nós rejeitamos, mas fomos convencidos com a promessa de duas semanas de almoço gratuito.

O poder da gratuidade.

O lugar não está muito cheio, mas já é suficiente para sentirmos a pressão. Normalmente, somos só nós no quintal, quando muito alguns familiares, e todo mundo se diverte e discute a maior parte do tempo. Eu adoro esses momentos, porque é a hora em que os olhos de Elza mais brilham. Ela assume seu papel no grupo e incorpora sambistas de todas as gerações, ainda que sua voz seja uma afronta até ao mais desafinado dos músicos. A gente ama pegar no pé dela, que rebate afirmando que foi predestinada ao samba, já que carrega com orgulho o nome Elza. "Isso é um aviso dos deuses da música, seus bestas." Palavras delicadas usadas por ela sempre que chega ao auge da irritação conosco.

No fundo, só queremos vê-la sorrir.

Eu quero vê-la sorrir, como antigamente.

Uma mulher entra no restaurante e acena para Elza, que retribui surpresa.

Ela: "Você veio mesmo!".

A mulher: "Claro! Não poderia perder essa oportunidade".

Ela, sussurrando para nós: "É a socióloga que encontrei na escola, mãe de um colega da Giovana. Superinteligente".

Eu: "Mudaram a rotação da Terra? Elza estabelecendo laços?".

O melhor dos imprevistos

Ganho um tapa no ombro, o que me dá a possibilidade de sentir o perfume dela.

"Não é perfume", ela me corrigiu um dia, quando reclamei que estava muito forte. "É o meu odor naturalmente perfumado".

Adorei que Elza tenha entrado na brincadeira. A consequência disso foi um festival de bobagens que dissemos um ao outro. Terminou com ela literalmente chorando de rir.

Eu amo quando ela ri.

Ela, mais cedo: "Vou cantar a primeira. Nem tentem me impedir".

Um de nós: "Vai espantar a clientela e vamos ficar sem nosso almoço de graça".

Ela: "Parem de me encher! O público me ama".

Eu: "Que público?"

Elza gargalha. Ela não canta bem, mas gargalha de um jeito musical. É lindo. Falando assim parece que sou um cara maluco, só se for maluco por ela — não de um jeito esquisito, vale esclarecer.

Mesmo assim, ela canta:

Meu choro não é nada além de carnaval
É lágrima de samba na ponta dos pés
A multidão avança como vendaval
Me joga na avenida que não sei qualé.[6]

---

6 "Mulher do fim do mundo", de Romulo Fróes e Alice Coutinho e interpretada por Elza Soares.

14

Os meninos

Elza fixa na geladeira a lista de recomendações e aponta para ela. Seis pares de olhos em tons variados a encaram, cada qual expressando um humor diferente.

— Está tudo escrito aqui.

— Minha mãe acha que ainda sou um bebê — comenta Giovana, a representação do desdém. — Que tenho hora para mamar, para comer frutinha, para tomar sol...

— Gio, vamos te dar leitinho e botar você para arrotar — afirma Lucas, em tom de brincadeira.

Elza arma uma expressão de impaciência e bufa.

— Só quero facilitar a vida de todo mundo.

— Então, faz assim — começa Mirtes —: vá para seu congresso sem preocupação, aprenda coisas novas e se divirta. Quem sabe você acaba conhecendo um cara gostoso lá e...

— Beija ele! — completa Giovana, batendo palmas.

Há semanas, Elza vem notando essa fixação da filha por beijos. Precisa bater um papo com a menina quando voltar de viagem.

Alguém tosse, mas Elza não percebe quem foi.

O melhor dos imprevistos

— Pode ir. Nós cuidaremos da Giovana — garante Juliano.

— Não é possível que cinco adultos não sejam capazes de se virar com uma menininha xexelenta! — provoca Benjamim, brincando.

— Cinco, não. Sabem que dei folga para a Mirtes.

— Isso mesmo, bonitões. Vocês que lutem.

Elza teve dificuldades para decidir ir ao congresso, pois não queria dar trabalho para ninguém. Foi surpreendida por Juliano, enquanto examinava o formulário de inscrição, sem convicção para preenchê-lo. Ele a convenceu de que estava tudo bem ficar com Giovana. Elza sabia disso, mas, de tempos em tempos, ela tentava abusar menos da boa vontade dos amigos.

— Se falar de novo que abusa da nossa boa vontade, vou ficar muito triste — declarou Juliano, encerrando de vez aquela discussão.

Então, ficou tudo acertado para o fim de semana e Elza viajou para a Bahia, deixando para trás "quatro solteirões e uma menininha".

— "Ir para a cama às nove horas".

Giovana está deitada de bruços no tapete da sala, recitando os tópicos da lista de recomendações que foi deixada pela mãe. Ela solta uma risadinha e olha para Vicente, que prepara um sanduíche para os dois.

— Isso é bobagem — desdenha ela. — Nem tenho que acordar cedo amanhã.

— Regra é regra, baixinha.

— Mas não é justo!

Lucas para a série de abdominais que não lhe arranca nem uma mísera gota de suor.

— Então, tente nos convencer a quebrar essa regra.

Ela fica de pé, toda animada.

— Eu tenho sete anos, ninguém precisa me fazer dormir.

— Não colou. — Lucas dá de ombros.

— Argumentação fraca — afirma Vicente.

— Nos fins de semana, mamãe me deixa dormir mais tarde. Ela colocou essa regra idiota porque acha que vou dar trabalho para vocês. — Agora ela se exalta, chega a ofegar.

— Você pode falar "idiota"? — questiona Juliano da varanda, onde molha as plantas, aparentemente esquecidas há alguns dias.

— Que que tem?

Vicente entrega o sanduíche para Giovana, que está brava demais para sentir vontade de comê-lo.

— Cadê o tio Benja? Ele sempre concorda comigo.

Benjamim ergue o polegar, fazendo o sinal de positivo, sua única manifestação, já que está andando para lá e para cá, conversando com alguém ao telefone.

— Acho que seu aliado é carta fora do baralho.

— Não é nada, tio Vicente! Ele me deu um joinha.

Ela faz beicinho e desarma todos ao mesmo tempo.

— Ah, sua fofa, a gente vai abrir uma exceção, tá? Toca aqui! — Lucas ergue a mão e Giovana entra no clima.

Nenhum dos quatro tinha vasta experiência com crianças. Por isso, era surpreendente como sabiam lidar adequadamente com a menina. Mas também todos eles sempre estiveram por perto desde o nascimento dela.

Muitas vezes, Elza se perguntava se não estava atrapalhando a vida deles de alguma maneira. Maria, por exemplo, a namorada de Vicente, não se entusiasmava muito com tamanha intimidade entre ele, Elza e Giovana. Compreensível, visto que nem todo mundo — ou quase ninguém — entendia os mecanismos dessa velha amizade.

Sendo assim, para não chatear a moça, quando ela aparecia, Elza preferia permanecer um pouco mais distante. Mas exigir isso de Giovana era quase um crime, já que a pequena idolatrava os quatro, mesmo Vicente sendo o mais sério deles.

— Hora do banho, mocinha — avisa Juliano. — O pijama já está no banheiro.

— Eu não sei lavar meus cabelos sozinha.

— Não precisa. Banhozinho rápido só para tirar o cheiro de inhaca podre. Vamos esperar aqui.

Mesmo sem terem combinado, os amigos sabiam que era mais prudente deixar o banho por conta de Giovana.

O melhor dos imprevistos

— Ainda bem — responde ela. — Já estou grande. Não quero passar vergonha.

— É isso aí, garota! Nós também odiamos passar vergonha.

Giovana desaparece no corredor e os quatro se reúnem em torno do balcão da cozinha.

— Acho que tudo bem tomar uma cerveja, né? — sugere Benjamim, sem esperar a resposta para pegar uma lata na geladeira. — Alguém mais?

Apenas Juliano declina.

— Estou tomando antibiótico — justifica.

Os outros três o encaram, esperando por mais explicações.

— Infecção urinária.

— Esse cara e suas "ites" — zomba Benjamim. — O médico mais hipocondríaco que conheço.

Juliano não se dá o trabalho de responder. Está acostumado com a zombaria dos amigos. Por ser o mais pacato do grupo, sempre recebe a maior quantidade de atenção quando se trata das implicâncias dos outros.

Eles dividem a cerveja em silêncio por um tempo, até que Lucas traz à tona a maior polêmica do momento:

— Que foda essa história do musiquinho de quinta categoria ter aparecido, hein? A Elza tem se feito de forte. Não sei como ela consegue.

— Ela é forte, até demais — frisa Vicente.

— Posso estar falando a maior besteira do mundo, mas talvez esteja na hora de colocar os pingos nos is. É muita merda acumulada há tantos anos.

— Cara, você acha mesmo que a Elza faria isso? — Lucas questiona Benjamim. — Ela protegeu esse segredo à custa de muitos traumas.

Um novo silêncio paira sobre eles.

Todos sempre apoiaram a amiga, mas as opiniões pessoais eram bastante particulares. Honestamente, em graus diferentes de certeza, cada um deles acreditava que Elza um dia teria que lidar com a verdade, pelo bem dela mesma e de Giovana.

83

— Gostaria que o babaca fosse ao consultório. A anamnese seria um pouco peculiar — diz Benjamim.

Um celular toca. Vicente aponta para o dele e vai para a varanda.

Ainda que ele tenha se distanciado para conversar com certa privacidade, os demais conseguem captar o ponto principal.

— É a Maria reclamando de novo — sussurra Lucas. — Ela odeia que ele seja tão atencioso com a Giovana.

— E nós estamos parecendo gente à toa, fofocando sobre a vida alheia — condena Juliano, que acaba de fazer suco de laranja.

— Ah, falou a Madre Teresa. Nossas observações só são entre nós. — Lucas usa essa desculpa. — Nem vem com moralismo que a gente não é santo.

— E nem dono da vida de ninguém.

— Ah, vá se...

— Ai!!!!

Antes que os ataques entre Lucas e Juliano esquentassem, o que acontecia de tempos em tempos, o berro de Giovana imediatamente fez tudo ser esquecido. Suco, cerveja, conversa com Maria, tudo isso foi deixado para trás. Se não fosse tão preocupante, a cena seria totalmente hilária: quatro homens correndo pelo corredor estreito, chocando-se uns contra os outros, com o propósito de socorrer a menininha deles.

...

Saiu muito sangue. O piso claro do banheiro ficou todo respingado. Os quatro encontraram Giovana com seu rostinho delicado encoberto por uma cortina vermelha.

Foram ao outro mundo e voltaram.

— Eu caí, escorreguei e bati a cabeça — contou ela, entre lágrimas e muita baba, porque ela não parava de chorar compulsivamente.

Vicente a colocou no colo e usou a toalha para limpar o sangue. Descobriu então que se tratava de um pequeno corte no supercílio. Sangrava mesmo, mas não parecia nada assim tão grave.

O melhor dos imprevistos

Um tanto apavorados, apesar de lidarem com situações muito piores no dia a dia, eles acharam melhor levar Giovana para o hospital. Certamente, o corte precisaria de pontos para fechar. Sorte que Juliano não tinha bebido e pôde dirigir.

Entraram os quatro apressadamente no pronto-socorro, Vicente carregando Giovana, chamando a atenção de todo mundo que estava por ali. Na hora de costurar a ferida, mais comoção, porque:

1) Benjamim queria executar o procedimento, mas não pertencia ao corpo clínico daquele hospital.

2) Vicente teve uma queda de pressão, mas não quis arredar o pé e permaneceu firme — ou melhor, bambo — ao lado da menina.

Por fim, foram apenas três pontos e um analgésico, uma garotinha se achando fenomenal por ter passado por "tamanho perigo" e aguentado, além de quatro caras absurdamente baqueados.

Agora, em casa, estão os cinco espremidos no sofá, encarando Elza pela tela do computador. Ela mal chegou à Bahia e já foi surpreendida pela novidade.

Quem explica primeiro é Giovana.

— Eu passei xampu no corpo, porque é mais cheiroso que o sabonete. Aí deu muita espuma, mamãe. Eu tentei brincar de patins, fingindo, mas escorreguei e bati a cabeça na quinta.

— Quina — corrige Elza, que faz cara de preocupada, mas está lutando para esconder o riso.

— Saiu muito, muito, muito sangue, igual cachoeira.

— E você chorou muito. — Não foi uma pergunta, porque Elza conhece a filha escandalosa que tem.

— Eu, não! Mas, mãe, eu não sei se meus tios são médicos tão bons.

Os quatro arregalam os olhos, todos ao mesmo tempo.

— Eles não fizeram nada, só me levaram para o hospital. Acredita que foi outro doutor que me salvou?

Elza não resiste e cai na gargalhada.

— Eita, sua diabinha! Se não fossem os tios aqui, como acha que chegaria ao hospital, hein? — Benjamim faz cara de ofendido.

Ela morre de rir, provando que também é boa na zombaria.

— E com isso tudo, a senhorita está acordada até agora.

— Mas eu quase morri! Não mereço um prêmio por sobreviver?

— Ah, pronto! Venha aqui. Hora de mártir mirim ir para a cama.

Lucas pega Giovana no colo, com todo o cuidado para não piorar o ferimento.

— Canguru! — exige ela, referindo-se a forma como quer ser carregada.

— Hoje, não. Vai de lady.

— Tchau, mamãe! Compra um presente para mim.

E eles somem da vista de Elza, que respira fundo e encara com ternura os três amigos restantes.

— Podem desfazer essas caras de culpa.

— Desculpa.

— Sinto muito.

— Foi mal.

— Ai, meninos... Vocês não combinam com esse estado lastimável. Crianças se machucam o tempo todo. Superem!

Ela boceja antes de terminar.

— Vou dormir. Tenho um quarto de hotel quatro estrelas só para mim, com vista para o mar. Vida mais ou menos.

Nessa onda que vai,
Nessa onda que vou levantar o meu astral
Foi na beira do mar que o samba começou
E foi pelo litoral...[7]

---

7   "Pelo litoral", composição e interpretação de Arlindo Cruz.

15

— *A cirurgia da senhora será daqui a três semanas.*
Não se preocupe tanto, porque o procedimento é simples e a recuperação vai acontecer mais rápido do que imaginamos.

Quando a paciente deixa o consultório, alongo o pescoço e jogo o corpo para trás, buscando um pouco de alívio durante um dia cheio, ainda bem longe de acabar.

Ontem minha mãe me ligou. Venho notando como seu humor tem mudado, ficado mais suave. Os baques que a vida providencia têm lá suas doses de positividade. Perguntou se eu não gostaria de passar um fim de semana com Giovana no sítio dos meus avós. Pasmem, eu disse sim. Não combinamos a data, mas quero ir o mais breve possível. Ela terminou a ligação transbordando de felicidade, fazendo inúmeros planos. Eu também fiquei contente. É uma chance para nós. Minha mãe começou as concessões. Cabe a mim dar alguns passos também.

O próximo paciente chega em cinco minutos. Dá tempo de eu mandar uma mensagem para Juliano, respondendo ao recado no *post-it* que ele grudou na minha mesa mais cedo.

Topa uma caminhada no parque mais tarde?

Esse é o mais sensível entre nós. Posso apostar que está preocupado comigo e com toda a situação referente a Felipe e Gabriela.

Mas antes que eu consiga abrir o aplicativo de mensagens no celular, Cíntia, minha assistente, entra no consultório.

— Doutora, estou numa situação delicada.

— O que houve, Cíntia?

Eu já me acostumei com o jeito dela, meio dramático, meio brusco.

— Um cara que não marcou consulta insiste em falar com você — ela conta, aflita. — Eu disse que é impossível, mas ele não arreda o pé. Não sei mais o que fazer.

— Ele não é paciente?

— Se ele foi, não tem ficha aqui. Mas afirma que é urgente.

Esfrego os olhos com força. Normalmente, não me recuso a atender as pessoas, porém depende muito da postura delas.

— Cíntia, explique que ele precisa marcar ou esperar eu terminar de atender os agendados de hoje.

— Foi o que eu disse, mais de mil vezes! Então, mandou eu te falar que o nome dele é Felipe.

Ah, não!

— Quer que eu chame o segurança, doutora?

— Não precisa. — Solto um suspiro, mas procuro manter o equilíbrio. — Se quiser, ele vai ter que esperar. Não vou atrasar pacientes.

— Passarei o recado. — Cíntia sai da sala, balançando seus cabelos.

As próximas consultas parecem acontecer em câmera lenta. Quanto mais a ansiedade cresce, mais devagar os ponteiros dão a volta no relógio. Não é como se eu estivesse louca para conversar com Felipe, mas agora que ele está aqui, quero logo acabar com essa agonia.

Essa é uma característica que carrego desde pequena. Tem que tomar injeção? Então vamos logo. Tem prova sexta-feira? Vou começar a estudar na segunda. Uma mania de acelerar aquilo que não estou com vontade de fazer para acabar mais rápido.

...

Respiro fundo e repito comigo mesma, segundos antes de Felipe entrar: *Ele só vai saber aquilo que eu quiser que ele saiba.*

O melhor dos imprevistos

Quando nós nos conhecemos em Paraty, anos atrás, Felipe era a personificação da autoconfiança, o tipo de pessoa que por onde passa dá a impressão de que não está nem aí para opiniões alheias. Gente assim é uma espécie muito rara, talvez justamente por causa disso se destaquem tanto.

Agora, ao observá-lo entrar no consultório, tudo o que vejo é um homem comum — apesar da desconcertante semelhança com o Heath Ledger, não canso de ressaltar —, meio embaraçado com a situação. Não sabe para onde olhar, se para mim, para as paredes, para a persiana... Nitidamente desconcertado.

Vê-lo assim me acalma. Hoje em dia, Felipe é só um homem comum e confuso em busca de... Bom, saberei agora o que ele busca.

— Eu não podia receber você antes, então... — Mexo os ombros e entorto a boca para enfatizar.

— Não faz mal. Vim disposto a esperar.

Aponto para a cadeira onde ele deve se sentar.

Curioso, mas não sinto nada. Agora que ele entrou e se sentou, percebo que meus nervos estão perfeitamente controlados.

— Bem, Felipe, se sua preocupação é se eu vou contar ou não para a Gabriela o que aconteceu entre nós naquele dia... — começo, para encurtar caminho.

— Não é sobre isso que vim falar — interrompe ele. — Pode ser que cheguemos a esse tópico também, mas o assunto principal é outro.

Como se eu não soubesse.

— Elza, como diretor da escola, posso ler a ficha de todos os alunos. Não vou mentir nem tentar me justificar. Assim que soube que a Giovana é sua filha, procurei os dados cadastrais dela. — Felipe faz uma pausa para tomar fôlego. Ele está quase hiperventilando. — Não consta o nome do pai na certidão de nascimento...

— É claro que não — corto bruscamente. — Não é segredo que crio minha filha sozinha.

— Não, não é. Disso todo mundo sabe. Mas acho que só eu sei o verdadeiro motivo de não haver o nome do pai no registro de nascimento dela.

Faço cara feia, mas Felipe não me dá a chance de falar.

— Vou listar as evidências.

Ele usa os dedos para enfatizar a contagem.

— Você se afastou de sua família quando descobriu a gravidez.

— Quem disse que foi por isso? Eu ia começar a residência. E...

Felipe intervém:

— Giovana tem sete anos. Sete anos! Nasceu nove meses depois de termos dormido juntos.

— Isso é um pouco presunçoso de sua parte — tento desdenhar para ganhar tempo.

Nervoso, ele fica de pé e esfrega o rosto com força.

— Então, você está afirmando que Giovana não é minha filha?

— Por que isso agora? — Jogo as mãos para cima. — Por que não me procurou quando soube que eu estava grávida? As constatações não teriam sido iguais às de hoje?

— Depois do casamento, mal ouvi falar de você, Elza. Para ser sincero, eu preferia não saber. Um dia, a Gabriela começou a contar um caso, então eu a cortei. Disse que eram muitas primas, que não era possível eu me lembrar de todas.

— Rá! Que conveniente.

Ele me encara e eu sustento seu olhar.

— Eu era um idiota... — murmura.

— Com toda a certeza.

Deixamos um silêncio reflexivo pairar sobre nós por alguns instantes. Minha mente está cheia de dúvidas, mas é óbvio que cheguei a um caminho sem volta. Claro, tenho a opção de mentir, o que só causaria um adiamento do conflito. Impossível me agarrar à verdade como se ela pertencesse só a mim. E nem é confortável sustentar sozinha algo assim. Minhas costas já estão envergadas.

— Por que é tão importante saber se a Giovana é sua filha ou não?

— É algo que eu deveria saber, não acha?

— Por que não tem filhos com a Gabriela?

— Elza. — Felipe se senta de novo, mas se joga com tanta força que a cadeira chega a sair do lugar. — Vá direto ao ponto, por favor!

Suspiro.

— Nada vai mudar, até que eu decida o contrário. *Se eu decidir isso.* Certo? — aviso, vendo a expressão de Felipe se alterar completamente.

— Então...

— Sim, ela é sua filha.

— Puta merda, Elza!

O palavrão não foi dito com raiva, mas sim como se Felipe estivesse sendo estrangulado. É, talvez ele esteja sufocando.

— Ela é sua filha — continuo —, mas as coisas vão permanecer como estão. Por enquanto.

Agora que falei, surpreendentemente sinto-me mais forte e protetora do que nunca. Ninguém vai abalar o mundo de Giovana de repente, muito menos sem minha autorização.

— Você não vai dizer nada nem fazer coisa alguma, entendido?

— Mas...

— Mas o quê? — explodo. Agora sou eu quem fica de pé num rompante. — Tudo em relação a nós dois foi errado, exceto o fato de Giovana existir. Lembra o quanto implorou para eu não contar para a Gabriela o que tinha rolado entre nós? Agora é tarde...

— Elza, eu sei. Mas somos diferentes agora.

— Felipe, tempo! Então, você já sabe a verdade. Agora a gente vai seguir a vida. Giovana é uma criança esperta, mas sensível em relação a não ter um pai. Não admitirei que seja jogada nesse rolo compressor de forma descuidada. Deixe que eu decida como trazer essa história à tona. — Mais calma, completo: — Também não quero magoar a Gabriela. Bom, magoada ela vai ficar de qualquer jeito. Então, não meta os pés pelas mãos. Entendido?

Ele titubeia. Sua hesitação me enerva.

— Entendido, Felipe?

— Certo, mas não vou prometer evitar Giovana na escola. Pode ser uma boa oportunidade para ela ir me conhecendo, aos poucos.

— Não fique sozinho com ela — aviso, o dedo em riste.

— Não sou um monstro, Elza.

— Tampouco uma pessoa em quem eu confie.

16

Anos antes, na faculdade

Primeiros dias de aula, todos eufóricos e cheios de expectativas, como sempre quando nos vemos diante de uma novidade muito esperada.

Sentada em um banco de concreto, sozinha, sugando preguiçosamente o refrigerante pelo canudinho, eu me perguntava de onde havia saído tanto *playboy*, a gíria para os filhinhos de papai da época. Todos eles, assim como eu, queriam ser médicos, só que o campus parecia ser o mais novo local das baladas que já frequentavam.

Eu andava me esgueirando, porque não queria ser pega pelos veteranos. Os trotes que aplicavam incluíam diversos rituais humilhantes de iniciação, como ter os sapatos confiscados, andar com a roupa imunda de terra — depois de rolarmos adivinhem onde? Na terra! — ou carregar uma pedra do tamanho de um melão o dia inteiro. Coisas desse tipo. A universidade proibia, mas também fazia vista grossa.

Com algumas exceções — eu era uma —, os calouros demonstravam estar totalmente de acordo com o que para mim eram idiotices sem comparação. Mas era só a minha opinião e eu não tinha a intenção de panfletar contra nada. Manter-me à parte já era o suficiente. Sendo assim, quietinha no meu canto, de vez em quando eu erguia

O melhor dos imprevistos

o olhar para observar o que andava acontecendo no universo dos meus novos colegas. Por ser bem discreta, quase invisível, acho que nenhum deles ainda havia dado conta da minha existência.

Eu era comum demais para ser notada, uma vantagem que eu considerava das mais preciosas. Minha mãe passou anos recitando isso na minha cabeça, o que ela queria dizer resumia-se a "aja discretamente e se sobressaia nos resultados". No íntimo, tudo o que eu mais desejava era dar conta do recado sem precisar me destacar em coisa alguma.

— Posso me esconder aqui também? — Meu coração disparou de susto. — Desculpe, não queria assustar você.

Um menino ruivo, com o rosto cheio de sardas, usando uma camisa polo verde, tomou todo o meu campo de visão. Eu sabia quem ele era, porque sempre tive uma ótima capacidade de observação. (Sim, discreta, mas bastante atenta.)

— Claro. — Apontei para o espaço vazio do banco, que ele ocupou, sem resvalar em mim.

— Não curto essas coisas de trote. Meu humor não é muito animado — justificou, ficando vermelho, quase da cor do próprio cabelo, enquanto raspava a ponta de seu All Star preto no chão.

— Também não sou a maior fã. — Estendi a mão direita para ele. — Elza.

Desajeitadamente, o menino retribuiu.

— Juliano.

A mão dele estava fria, ainda que estivéssemos em março, o mês do fim do verão, mas sempre muito quente.

— Desculpe, mas Elza é um nome incomum para uma menina da nossa idade — comentou, ruborizando um pouco mais.

— Eu sei... — Dei de ombros, já acostumada com perguntas, comentários e brincadeiras sobre meu nome. — A avó de meu pai se chamava Elza. Sou uma homenagem viva a alguém que já morreu faz tempo.

Juliano gargalhou, deixando à mostra a arcada dentária inferior. Achei aquilo meio grotesco. Mais tarde tentei repetir de frente para o espelho, mas ficou claro que mostrar somente os dentes de baixo durante uma risada é muito trabalhoso — e estranho.

— Meu pai ama a Elza Soares. Conhece?

Soltei uma risada também esquisita, meio que pelo nariz.

— É claro. Quase todo mundo acha que tenho esse nome por causa dela.

— É que meu pai adora música brasileira. Samba, especialmente. Não sei como não me chamo Noel, Lupicínio, José Bezerra...

Embora tímido, Juliano tinha senso de humor, o que considerei muito fofo.

— Uma honra traumática, eu diria.

Ele gargalhou de novo, do mesmo jeito tosco.

Conversamos mais um pouco, até que alguém apareceu, apontando o dedo para nós, enquanto gritava:

— Achei esses dois aqui querendo se safar!

O dedo-duro em questão estava imundo de tinta e terra, mas ostentava um sorriso perverso, que deixava seu rosto iluminado feito decoração de Natal. Talvez ele se achasse um pisca-pisca humano, todo orgulhoso de sua luz.

— Ah, tenha dó! — exclamei, jogando meu canudinho em cima dele. — Vai se danar!

— Quietinha e desbocada!

Os outros estudantes estavam muito perto. Olhei derrotada para Juliano, que parecia muito pior que eu, vermelho e trêmulo.

— Cara, deixem os dois em paz. — Outra pessoa surgiu. Aquilo já estava igual a um filmezinho adolescente ruim. — Vão lá curtir com quem está a fim, tá legal?

Não sei por quê, o dedo-duro obedeceu. Virou as costas e ainda arrastou os outros com ele.

— É... — Já ia falar qualquer coisa para o rapaz que acabou com a alegria dos festeiros, mas ele saiu sem me dar essa chance. — Que estranho — disse para Juliano, sem vermelhidão e respirando calmamente agora.

— Lucas e Vicente, o entusiasmado e o soturno.

O melhor dos imprevistos

Balancei a cabeça, concordando. Eles também eram nossos colegas de sala.

— Interessante... Ninguém mexe com o soturno? — quis saber, mesmo imaginando que Juliano não soubesse a resposta.

— Não acho que ele faça alguma coisa, mas a cara fechada dele assusta.

Antes que eu pudesse emendar outro comentário, senti um líquido gelado me atingir e descer por minhas costas. Gritei assustada, mas ainda assim ouvi uma gargalhada pavorosa.

— E pensou mesmo que passaria ilesa, mocinha de nariz empinado?

Olhei para trás e vi aquele que já era considerado o estudante mais benquisto entre os calouros de medicina.

— Benjamim, você me paga!

17

— *Já pensou em compor um samba?*
Faço que não com a cabeça.
Juliano e eu saímos do trabalho direto para o Parque Municipal. Esqueci de responder ao convite, mas ele não considerou o silêncio como uma recusa e foi me buscar no final do expediente.
— Você já? — devolvo a pergunta para ele.
— Não sei usar as palavras a meu favor.
Rio, mas discordo dele. Juliano é ótimo com as palavras, mesmo quando as usa com economia. Penso que até as palavras não ditas por ele têm lá um quê poético.
— É sério, Elza. Gosto de ouvi-las, não de arranjá-las.
— Viu só? Você poderia ter dito "escrevê-las", mas preferiu "arranjá-las" — observo. — Coisa de quem tem recurso.
Já me acostumei com a risada esquisita dele, então nem reparo. Não muito. Caminhamos lado a lado e bem devagar, aproveitando a natureza e as outras belezas do parque, tão verde e bem na região central de Belo Horizonte.
Até agora, não entramos em nenhum assunto complexo, como minha conversa com Felipe, embora Juliano saiba que estivemos juntos, já que trombou com ele quando foi me encontrar no consul-

tório. Não sei nem como começar a contar, porque estou exausta emocionalmente.

— Você sabe por que o parque tem uma estátua da Anita Garibaldi? — indaga ele, apontando para o monumento localizado na Ilha dos Amores. — Ela não é um ícone da Revolução Farroupilha?

— Se minha memória não falha, sim.

— Como veio parar em terras mineiras?

— Será que o Google não sabe?

Nós dois rimos de novo, mas é notável que falta alegria nesses sorrisos. Parece que ambos estamos empurrando nossos problemas com a barriga.

— Aquele sujeito causou desconforto a você hoje, Elza? — questiona Juliano, sem aviso prévio.

— Não só hoje, mas a existência dele inteira é um desconforto só — brinco. — Ele me procurou para confirmar se a Giovana é filha dele.

— E você confirmou?

— Sim. Até me ocorreu negar, mas só complicaria ainda mais o futuro das coisas.

Nós nos sentamos em um banco, agora que resolvemos deixar de falar apenas amenidades. Faço um resumo para Juliano, que acompanha meu relato movendo a cabeça de tempos em tempos, intercalando com *Uhum*. Por fim, ele diz:

— Você fez certo. E é melhor ir se preparando para estender essa verdade às outras duas partes muito importantes.

— Giovana e Gabriela.

— Elas mesmas. Se o Felipe fez tanta questão de saber, é óbvio que ele quer participar. Poderia ter fechado os olhos e ignorado a possibilidade de ser o pai. Então, mais cedo ou mais tarde, vai ter que abrir o jogo com a mulher dele.

— Que, por sinal, é minha prima. — Solto um suspiro.

— "Ouça-me bem, amor, preste atenção, o mundo é um moinho..." — cantarola Juliano, buscando nas letras de Cartola um bom eufemismo para *vida filha da puta*.

— Cara, a gente encontra música para ilustrar cada passo das nossas vidas. — Sempre me pego admirada com as infinitas possibilidades do samba.

— "Ó insensato... Ó insensato destino, pra que tanta desilusão em meu viver? Eu quero apenas ser feliz ao menos uma vez."[8]

— Já entendi. Não vamos fazer disso uma *playlist* nova do grupo.

Tapo a boca dele com uma das mãos, então noto que a temperatura corporal dele está um pouco elevada.

— Parece que você está com febre — aviso. — Tem sentido alguma coisa? Um dos meninos comentou que você andou tomando antibiótico há pouco tempo.

— Tive uma infecção urinária.

— Então, por que...

Não termino a pergunta, pois sou surpreendida pelo fato de Juliano ter abaixado a cabeça. Um arrepio mau-agourento percorre minha coluna.

— Por que você me chamou para caminhar aqui no parque, Juliano? — pergunto devagar. De repente sinto que não vou gostar de estar aqui, que estou prestes a odiar o passeio.

— Viemos para você desabafar, ué.

— Mentiroso. O *post-it* amarelo está pregado na minha mesa desde cedo. Felipe só apareceu à tarde, sem avisar. Não é por minha causa que estamos aqui.

Encosto o dorso da mão na testa de Juliano, depois no pescoço, como faço com Giovana todas as vezes que a vejo meio prostrada. De fato, ele está um tanto abatido. Eu estava tão envolvida pela autocomiseração que nem vi os sinais?

— Conta, Juliano, o que está acontecendo? — imploro.

— Lembra quando a gente começou a sair junto, digo, nós cinco? No começo, ninguém entendia o que nos aproximava...

---

8 "Insensato destino", composição de Maurício Lins, Chiquinho e Acyr Marques interpretada pelo grupo Fundo de Quintal.

O melhor dos imprevistos

Desisto de pressionar Juliano, pois percebo que ele vai levar um tempo até chegar ao assunto principal. Se ele precisa dar tantas voltas para encontrar o caminho, só posso esperar, ouvindo-o com atenção.

— Eu levei meses para aceitar que fazia parte da turma, porque nunca fui a mais sociável das pessoas. — Juliano puxa uma flor do caule, mas desiste de arrancá-la no último segundo. — Até que você e Vicente tinham mais a ver comigo, mas Lucas e Benjamim...

— Morro de rir ao lembrar como eles foram se achegando a nós.

— Grandes idiotas.

— Patetas.

Rimos juntos. Recordar o começo de tudo tem um sabor doce.

De vez em quando, conto para Giovana histórias nossas, e ela adora. Algumas já estão batidas e são cansativas até mesmo para mim, que as vivi. Mas minha filha não se importa. Gosta de ouvi-las da minha boca e pelos meninos também. Cada um tem seu jeito peculiar de reviver tantas situações.

— Na verdade, Vicente não tinha a ver com ninguém — corrige, achando graça.

— Somos muito diferentes uns dos outros. Isso que me encanta. Nenhum de nós nunca quis que fôssemos parecidos, como aquelas panelinhas óbvias dos tempos de escola.

— Na faculdade também!

Ele tosse um pouco, o que parece fazer com que Juliano volte a se concentrar no presente.

— Elza, eu não estou doente — diz, de supetão. — Quero dizer, tive a infecção urinária, foi bem forte, mas nada além disso.

Enrugo a testa, porque passei os últimos quinze minutos me preparando para ouvir uma bomba. Claro, ainda bem que não é doença.

— Seu besta! — Bato no ombro de Juliano. — Você me assustou. Estava aqui morrendo por dentro, com medo do que você ia me contar. Mas, ainda assim, sua cara não está muito boa, não.

Ele respira fundo e se ajeita no banco. Parece tão desconfortável.

— Diga, Juliano! — exijo. — Caso não queira que eu tenha um mal súbito. Que coisa!

— Passei todos estes anos engasgado, Elza. Não é só você que tem medo de revelar segredos.

Será que ele vai falar o que estou imaginando? Suo frio.

— Elza, eu estou apaixonado.

Levo as duas mãos à boca para impedir que qualquer palavra saia antes que eu pense umas mil vezes. Não posso dizer que não é recíproco assim na lata, mas também não quero ser inconsequente e dar falsas esperanças ao meu amigo.

— Pode desarmar essa cara de pânico. — Juliano dá um peteleco na minha testa. — Não é por você.

— Hã?

— Não estou apaixonado por você.

Não tenho tempo de assimilar a negativa, porque ele emenda depressa — para não desistir, suponho:

— É pelo Benjamim.

...

— *Choquei você?* — *Juliano me entrega uma garrafa de* água que acaba de comprar de um vendedor ambulante.

— Sim.

— Nunca contei para ninguém que me interesso por homens.

— Não é por causa disso, Juliano. — Bebo um longo gole, enquanto assimilo a novidade. — Mas por que nunca me contou?

— Porque eu não admitia nem mesmo para mim.

Assinto.

— Eu vivi uma vida de embates comigo mesmo. Faz pouco tempo que compreendi que não podia mais ignorar quem eu sou.

— Fico feliz que tenha dado esse passo.

— Mas não é um passo muito largo não. Só eu e agora você sabemos.

Acho graça e ele acompanha minha risada.

— Tem medo de que sua família fique escandalizada? Conheço seus pais. Eles me parecem pessoas sensatas.

O melhor dos imprevistos

— Tenho medo de mim mesmo — declara Juliano.

Não sei se entendi direito, mas decido parar de pressioná-lo. Não estou na pele dele, não sinto o que ele sente. Só preciso deixar claro que o apoio incondicionalmente.

Seguro suas mãos com carinho.

— Você foi meu primeiro amigo na faculdade. Estaremos para sempre juntos.

Rindo de lado, ele afunda o indicador na minha bochecha,

— Já podemos parar de ser emotivos. Sei que você está doida para fazer certa pergunta.

Relaxo por ele ter lido meus pensamentos.

— Benjamim, hein?

Um suspiro, uma coçada na cabeça, uma risada esquisita, e então:

— Loucura, né? O cara é hétero e um grande amigo. Eu deveria ter sido mais inteligente.

— E amor tem algo a ver com inteligência, Juliano? Se assim fosse, chamaríamos de "a ciência do amor".

— Eu não sei. — Ele balança os ombros. — Estou compartilhando esse desatino porque tenho esperanças de que você me dê uma luz.

— Eu? Olhe só para a minha vida amorosa. Opa! Ela não existe.

Eu me levanto do banco e o puxo pelas mãos. Juliano passa o braço em torno dos meus ombros. Caminhamos assim até a saída do parque, em silêncio, somente contemplando a bela vista do local.

— Vamos tocar Marisa Monte e Gilberto Gil da próxima vez? — A pergunta é feita sem contexto, enquanto esperamos o Uber.

Uma ruga surge entre meus olhos.

— Marisa Monte? Samba?

— Não se lembra do sambinha deles? "Desilusão, desilusão, danço eu, dança você, na dança da solidão".[9]

— Bobo.

E nosso carro chega.

---

9 "Dança da solidão", composição de Paulinho da Viola.

18

A casa dos pais de Juliano é um dos meus lugares favoritos no mundo. Fica num lugarejo não muito longe de Belo Horizonte, mas distante o suficiente para que tenhamos a sensação de estarmos bem no interior. A distância é curta, apenas uma hora de carro. Uma hora e, então, um lindo e pacato vilarejo, com casas formosas e sons de uma vida bem mais tranquila. Eu adoro!

Estamos a caminho de lá para um fim de semana de ensaios. Bom, esse é nosso pretexto para a escapada. Entre os (poucos) ensaios, haverá muito churrasco e cerveja, além de uma irresistível oportunidade de deixar as preocupações esquecidas por um tempo.

Antes de pegar a estrada, recebi uma mensagem de Juliano:

Não vamos trazer aquele assunto à tona, certo?

Respondi com palavras desaforadas. Ele achava mesmo que eu abriria o bico?

Calma, Elzinha! É só para garantir!

Viver de segredos é um tanto quanto cansativo. Sei bem como é.

— Mãe, eu não gosto da professora de artes — reclama Giovana, sentada no banco de trás.

Olho para ela pelo espelho retrovisor.

— Todo dia ela manda a gente fazer a mesma coisa.

O melhor dos imprevistos

— Mas o seu portfólio está cheio de obras diferentes.

— Porque eu falo lá na sala que arte não tem regra. Eu estou errada, mamãe?

Não contenho o riso. Não sei de onde saiu essa menina, tão cheia de opiniões e atitudes.

— Arte não tem regra, mas a escola, sim — deixo bem claro. — Não me arranje confusão, ouviu, mocinha?

Ela bufa e revira os olhos.

— Não esquenta, mãe. Eu sei reclamar direito.

— E como é isso?

— Eu reclamo com educação, uai.

Tento imaginar a cena, levando em conta o arsenal de argumentos que Giovana costuma usar comigo.

— Além disso, o novo diretor gosta muito de mim.

Engasgo com o ar que entra pela janela.

— Ele disse que viu minhas notas e que sou muito inteligente — completa, cheia de si.

— O que mais ele falou para você?

Giovana olha para o teto do carro, enquanto pensa, fazendo um som com a garganta, igual a um gato ronronando.

— Que eu sou esperta e desenho muito bem.

— Só isso?

De cara feia, ela retruca:

— Não é pouco! Sabe quantos alunos tem na escola? Milhares! — exagera, claro. — Mas o diretor foi e falou essas três coisas para mim.

— Sem braveza, pequena. Foi muito legal mesmo.

Tudo bem. Eu respiro aliviada. Nada anormal, pelo jeito. E que assim permaneça por um bom tempo.

...

O cheiro de carne assando na churrasqueira está espalhado por todo o quarteirão. Ao entrar na rua dos pais de Juliano, vejo os carros estacionados ao redor da casa deles e sinto o odor inconfundível de churrasco. Por outro lado, mesmo que não houvesse nenhum tipo de comida sendo preparada, eu associaria esse lugar a refeições deliciosas. Não houve sequer uma única vez em que estive aqui e que não tenha exagerado na comilança. Diferentemente da casa dos meus pais, que também fica no interior, aqui tem cheiro de vida, de lar, de gente sem melindres. Tenho certeza de que Juliano não será julgado quando resolver contar a verdade à família.

Giovana e eu entramos pela porta da frente sem que ninguém venha nos receber. Não precisa. A fechadura está aberta, como sempre, e o pessoal não se importou em esperar as duas últimas convidadas. É disso que estou falando. É sobre ficar à vontade. Para mim, isso denota mais consideração e carinho, sendo familiar ou não, do que muita formalidade. Não me recebeu na porta? Grande coisa!

— Até que enfim! — Benjamim salta do guarda-corpo, onde estava sentado, e vem até nós, pegando Giovana no colo.

Tenho que fazer um esforço hercúleo para não olhar para Juliano. Mas consigo ser natural e manter a postura de antes de participar do segredo do meu amigo.

— Vamos nadar, Gio! — Benjamim já está quase dentro da piscina com ela.

— Primeiro tem que cumprimentar todo mundo e depois vá colocar o biquíni.

— Oi, genteeeee! — diz ela, meio de má vontade.

Acontece que ninguém aceita o "oi" a distância e exige que minha filha beije um por um, só de pirraça.

A novidade da reunião deste fim de semana é a presença de Maria. Ela quase nunca aparece quando estamos todos juntos, mas hoje ela está aqui, com cara de quem adoraria ter ficado bem longe. Nunca tive absolutamente nada contra a namorada de Vicente, até perceber com quanto desdém ela trata Giovana. Desde então nutro uma antipatia velada pela moça e não faço muita questão de esconder. Somos cordiais e fim.

— Alô, pessoal. — Aceno para todo mundo ao mesmo tempo, mas beijo e abraço dona Gorete e seu Roberto, pais de Juliano.

O melhor dos imprevistos

Além de nós cinco, Giovana, Maria e o casal, também estão presentes a irmã mais velha de Juliano, Renata, o marido e a filha deles, que tem a idade da minha. Estar aqui me transporta a um universo familiar que não visito há muito tempo. No canto de sempre, nossos instrumentos nos esperam para o famoso ensaio do "Fundo de Hospital".

— Preciso relaxar primeiro — aviso. — Quem vai me oferecer uma cerveja bem gelada, hein?

— Está no freezer. — Lucas aponta para o refrigerador, mas sei que está só me azucrinando, porque vai lá, pega a latinha e me entrega, aberta inclusive.

Ouvimos o "tibum" das duas crianças e Benjamim caindo na água. Três crianças, na verdade.

— Como você está? — pergunta Lucas, assim que dou o primeiro gole na bebida. Está deliciosamente refrescante.

— Melhor do que eu esperava, se eu não pensar demais nas consequências que virão mais cedo ou mais tarde.

— Você já viu sua prima de novo?

Faço que não com a cabeça.

— Nós trocamos nossos números de telefone, mas não nos falamos mais. Ou ela já sabe de alguma coisa...

— Ou só anda ocupada demais — acrescenta ele. — Isso faz muito mais sentido, Elza. Acha mesmo que aquele bundão ia contar tudo para a esposa assim, de repente?

— Improvável, mas nada impossível.

Lucas bate a latinha dele na minha e espeta o palito num pedaço de linguiça. Em vez de comer, coloca na minha boca.

— Relaxa, Elzinha. Não pense demais no futuro, não.

Mastigo enquanto concordo, mas respondo, com a boca cheia:

— Que futuro? Eu rio na cara do futuro — brinco.

— Ah, sei. Que assim seja, pelo menos este fim de semana. — E beija minha cabeça.

Vou até onde os pais de Juliano estão e passamos um bom tempo conversando, especialmente sobre plantas (dona Gorete me deu várias

105

dicas de como cuidar), comida e música. O conhecimento de seu Roberto sobre o samba é tão vasto que eu poderia ficar escutando as histórias até de noite ou mais.

— Não tínhamos dinheiro para comprar discos, os famosos *long plays*. Eu era doido por música, mas tinha que trabalhar com meu pai na lavoura todos os dias, depois da escola. Ele mandava que eu me contentasse com o rádio. O problema é que rádio é aquela coisa, né? Quem escolhe o que vai tocar não somos nós.

— E tem propaganda — acrescento, mas não quero falar nada, só ouvir a história de seu Roberto.

— Sem dinheiro e sem incentivo, eu entrava na loja que vendia discos e fitas cassetes quase todo sábado. Era uma lojinha pequena, mas parecia o paraíso. Tinha um cheiro maravilhoso, o cheiro da minha paixão.

— Pensei que sua paixão fosse a minha mãe — zomba Renata.

— Eu era o desafio — afirma dona Gorete, e todo mundo ri.

— Eu nem conhecia sua mãe ainda. Não tinha tempo. Estava dividido entre a escola, o trabalho e a música.

— Que lindo, seu Roberto — falo no meio de um suspiro.

— Pois bem, eu passava na loja e ficava horas lá, pegando nos discos, lendo o que estava escrito na contracapa. O dono tinha se acostumado comigo e permitia que eu mexesse em tudo, com a condição de não danificar nada. De vez em quando, ele colocava um ou outro na vitrola, sempre que eu pedia com jeitinho. Então, eu me sentava num banquinho nos fundos da loja e desfrutava o som. Foi assim que passei a frequentar também a biblioteca municipal.

— Por que a biblioteca? — Quero saber tudo.

— Porque comecei a estudar a história não só do samba, mas da música brasileira. Eu tinha mais curiosidade pelo samba e pela bossa-nova, mas pesquisava de tudo. Descobri muita coisa interessante.

— Nossa, seu Roberto, o senhor é inspirador — digo.

— Que nada! Só muito curioso. Mas isso tudo me fez uma pessoa menos preconceituosa.

O melhor dos imprevistos

Juliano e eu trocamos olhares. É uma declaração a ser arquivada para uso futuro. Essa é a mensagem que tento enviar para ele.

— Muita gente acha até hoje que samba é coisa de malandro. Ah, o samba é coisa de gente sensível, um mundo infinito de ritmo e poesia. Identidade brasileira.

Seu Roberto começa a batucar com os dedos sobre a mesa, tirando um som do improvável. E quando o ritmo pega embalo, ele faz o acompanhamento assoviando. Meus olhos chegam a marejar.

Demoro uns instantes para reconhecer a música original. Com a simplicidade de um passarinho, seu Roberto batuca e assovia "Pagode na casa do gago", de Bezerra da Silva.[10]

Fui num pagode
Na casa do gago
E o rango demorou sair
Acenava pra ele
Ele mais qui qui qui
Qui qui qui qui qui qui
Guenta aí

Se a ocasião faz o ladrão, a mente relaxada e o corpo entorpecido favorecem e muito os ânimos, já que ensaiamos mais do que nunca. O entusiasmo que senti hoje me fez lembrar do começo de tudo, de quando criamos o "Fundo de Hospital". Apesar das críticas à minha voz, cantei a maior parte das músicas e até arrisquei uns passinhos de samba.

— O carnaval do Rio está perdendo uma passista. — Benjamim só queria me tirar do sério, mas havia muito tempo que eu tirava de letra suas provocações.

Paramos o som quando começou a escurecer e o cansaço nos venceu. Fiz Giovana sair da piscina — com muito esforço — e a ajudei

---

10   Composição de Gracia do Salgueiro e Gaguinho.

com o banho, já que precisava lavar os cabelos cheios de cloro. Depois disso, pegou o *tablet* e se perdeu no mundo do YouTube Kids.

Agora, às onze da noite, a casa está silenciosa. Curiosamente, o sono não chegou para mim, embora esteja meio molenga de tanta cerveja. Detesto lutar para dormir. Quanto mais me esforço para trazer o sono de algum lugar, mais agoniada fico. Em vez de rolar na cama, prefiro me enrolar num roupão e me sentar no quintal.

A lua está bonita demais. Eu a contemplo, enquanto os grilos cuidam da sinfonia noturna. Eu me pergunto onde é que eles se escondem de dia e por que resolvem fazer tanta algazarra à noite. Deve ter a ver com acasalamento, essas coisas da natureza dos bichos. O macho canta (ou cricrila, no caso), a fêmea gosta, eles namoram e... o macho morre.

Os rumos dos meus pensamentos me fazem rir. Mas antes pensar nessas inutilidades do que ruminar certas questões das quais não quero me lembrar.

Puta merda! Agora eu me lembrei. Droga!

— Por que essa testa enrugada?

— Nossa, Vicente, isso é jeito de aparecer?

Ele me entrega uma caneca cheia de chá fumegante.

— Pra mim?

— Para quem mais? — Ele olha ao redor, mostrando, do jeito dele, que estamos sozinhos.

Minha língua coça e eu quase lembro a ele que o mais provável é que o chá fosse para Maria.

— Ela já está dormindo.

— Quem?

— Sei muito bem em quem está pensando.

Entorto a boca, fazendo questão de exibir minha contrariedade. Vicente sempre vem com essa de que sabe aquilo que eu não falei.

— Está animada hoje.

— Fim de semana, amigos, pais de Juliano, cerveja... — pontuo, sem coragem de dar o primeiro gole no chá. Está tão quente que até a fumaça queima.

O melhor dos imprevistos

— Então, é melhor eu nem perguntar sobre a ida daquele sujeito à clínica. Não hoje, pelo menos.

— É, ele foi. — Só digo isso.

Vicente me entende e não toca mais no assunto. Em vez disso, ele se senta também, só que no chão, com as costas apoiadas em uma das pilastras do alpendre.

— Acha que Maria e eu estamos arrastando esse namoro por tempo demais?

Engasgo com o chá. Nunca, jamais conversamos sobre o relacionamento deles. Os outros meninos e eu gostamos de pegar no pé de Vicente quando Maria liga ou algo do tipo, mas nunca elevamos as brincadeiras ao patamar de assunto a ser tratado com seriedade.

Será que todos eles resolveram abrir os corações para mim, um por um?

19

Anos antes, na faculdade

O professor de História da Medicina dividiu a turma em duplas para um trabalho de pesquisa e me juntou a Vicente, o cara mais taciturno do planeta. Eu não tinha nenhuma objeção, mas comecei a pensar se eu não havia sido "premiada" já no primeiro momento em que nos reunimos para planejar a atividade. Sentados frente a frente na minúscula mesa da biblioteca da faculdade, nossos computadores conectados à internet e vários livros diante de nós, não conseguíamos sair do lugar, porque Vicente não falava um "a". Apresentei a ele algumas opções de linhas para a pesquisa, e ele nada. Só analisava minhas anotações em silêncio.

Desde o dia do trote, Vicente vinha pairando entre mim e Juliano, mas sem se manifestar muito. O que ele mais fazia era dar uns palpites monossilábicos, mas, ainda assim, estava sempre nos rodeando, como se não se decidisse se queria ou não andar com a gente. No começo, estranhei bastante esse comportamento. Vicente era um cara bonito — alto sem exagero, cabelos pretos cortados sem muito estilo, olhos escuros um pouco repuxados. Diziam que os pais eram ricos. Um jovem adulto com essas características dificilmente não viveria dentro de uma bolha com seus semelhantes. A faculdade de medicina estava cheia deles.

O melhor dos imprevistos

Um dia, cansada daquela alma penada orbitando em torno de Juliano e de mim, descarreguei em cima de Vicente tudo o que vinha me incomodando:

— Qual é o seu problema? Fica andando atrás da gente, mas mal conversa conosco. Que tipo de esquisitice você tem? Meu filho, decida-se! Se quiser fazer parte do pacote, tem que contribuir.

Estávamos na biblioteca e minha exaltação chamou a atenção de todo mundo. Algumas pessoas me pediram silêncio, mas a grande maioria bateu palmas depois que terminei meu desabafo. Ao me dar conta do que eu tinha feito — e o pior, onde —, murchei como uma flor no fim da vida, o rosto ardendo de vergonha. Queria correr para longe, mas minhas pernas não me obedeciam.

Vicente não moveu sequer um músculo, nem com o que eu disse, nem com a algazarra dos estudantes. Até que um dos cantos de sua boca se moveu sutilmente. Era um sorriso. Um sorriso!

— Eu pensei que já fizesse parte desse... pacote — declarou, impassível. — Mas já que para isso preciso contribuir, a partir de agora serei mais óbvio. Certo?

Óbvio como ele estava sendo enquanto fazíamos o trabalho juntos. O que ele chamou de óbvio eu classificava como econômico. Vicente era aquilo ali e pronto.

Com o passar das semanas, aceitei que nossas interações seriam mais silenciosas do que entusiasmadas. Aos poucos, percebi que uma amizade leal e verdadeira, dessas que, de tão raras, são preciosas e não precisam ser preenchidas com palavras o tempo todo. O que Vicente poupava na fala, sobrava em gestos encantadores.

20

— *Você me deu uma missão impossível* — *falo francamente.* — Até porque você é muito fechado quando se trata de suas questões. Como eu poderia cometer a audácia de opinar sobre seu namoro?

Vicente não olha para mim. Em vez disso, não tira os olhos daquele céu arrogante, que não só exibe a lua mais linda, como tem a pretensão de estar pipocado de estrelas.

— Desculpe. Só queria ouvir um conselho.

— Desde que nos conhecemos, você nunca pediu nada parecido — observo, com uma das sobrancelhas arqueada para enfatizar meu ponto de vista.

— Não? Mas estou sempre aberto a escutar — retruca. Noto que está cansado. Ombros envergados, fala lenta, um pouco de olheira.

— O que está acontecendo, Vicente? Você parece um pouco... abatido.

Ele não responde imediatamente. Ah, essas lacunas! Estou mais do que acostumada com elas, por isso apenas espero que ele esteja com vontade de falar. Por ora, me contento em ouvir a sinfonia dos grilos. Pelos cantos dos olhos, vejo Vicente bebericar o chá dele, aos poucos. Se eu não o conhecesse, diria que não tem absolutamente nada para dizer.

O melhor dos imprevistos

— Se pudesse voltar no tempo, você escolheria não sair com aquele cara naquela noite?

A questão me pega de surpresa. Ele está fugindo do assunto.

— Essa pergunta não é justa, Vicente — reclamo. — Eu preferiria nunca ter conhecido o Felipe. Mas assim a Giovana não existiria.

— Então, a resposta está dada.

Solto um gemido frustrado. Esta noite meu amigo conseguiu superar o próprio recorde, o de ser misterioso e irritante.

— Estou com vontade de sacodir você — confesso. — Seja mais específico, pode ser? Senão vou subir agora mesmo. Que raiva!

— Eu quis dizer, Elza, que você tem a resposta nas mãos, a resposta para o medo de que as pessoas saibam quem é o pai da Gio.

Continuo sem entender.

— Certeza de que é chá isso aí dentro da sua caneca?

O céu deixa de ser o alvo de sua contemplação. Vicente muda a posição do corpo e fica de frente para mim. Está escuro. Não consigo distinguir direito suas expressões faciais.

— Como a existência da sua filha é mais importante do que a forma como ela foi trazida a este mundo, lidar com a descoberta da verdade não acaba sendo uma questão menos complexa?

— Estamos falando de mim? Pensei que o assunto fosse seu relacionamento com a Maria.

A luz da lua bonita permite que eu enxergue o vislumbre de um meio sorriso.

— É que isso acabou de me ocorrer. Não sabia o que dizer sobre a visita do sujeito, mas agora pensei nisso e talvez a solução desse imbróglio seja mais simples do que aparenta.

Vicente nunca usa as palavras para preencher os silêncios quando ele acredita que não tem nada de importante a dizer. Mas quando abre a boca, faz a gente pensar.

— Mesmo assim, não deixe aquele patife incomodar você.

"Patife" é um termo que meu avô costumava usar para ofender as pessoas que o tiravam do sério. É uma palavra gostosa de pronunciar, mas meio desconectada desta nossa época. Acho graça.

113

— Por enquanto, o *patife* só me parece assustado e bastante curioso. Mas vou manter o que me disse em mente, Mister Ice.

Embora surpreso com o apelido que acabei de inventar, Vicente não faz comentário algum.

— Então, vamos retomar o assunto inicial. Por que me fez aquela pergunta sobre a Maria? Vocês dois não estão bem?

— Ela tem um pouco de resistência à ideia de que eu amo a Giovana. Isso a incomoda.

— Ah. — Não é uma interjeição, uma exclamação, nada do tipo. Só emito um som, porque não sei o que dizer.

Um pouco embaraçado, Vicente tenta justificar:

— Ela não gosta muito de crianças. Sempre disse que não quer ter filhos. Então...

— E você gosta de crianças e não pensa em abrir mão de uma família. É isso? Não sabia que casamento estava nos seus planos mais recentes.

A frase sai de um jeito tão esquisito, como se eu estivesse desdenhando. E juro que não estou. (Ou talvez sim.)

— Não está. Só não gosto muito da ideia de uma criança não ser benquista, ainda mais a Gio. Entende?

Estou pegando fogo por dentro. Não gosto de me exaltar, por isso tenho me refreado. Maria nunca demonstrou simpatia por minha filha. Consequentemente, jamais fiz questão de estreitar meus laços com ela. Mãe é assim. A gente se derrete para quem acarinha nossos filhos e se transforma num poço de rancor por aqueles que os destratam.

— Vou me abster de comentar esse assunto, Vicente — eu me esquivo. — Certamente, serei imparcial. Quem tem que se decidir se o namoro tem futuro ou não são vocês dois.

— Claro, eu sei. — Ele abaixa a cabeça e seus cabelos pretos caem sobre o rosto.

— Se me pedisse uma análise médica, ou uma opinião sobre educação de filhos, ou indicação de uma boa escola, aí, sim, eu seria a pessoa certa. Ah, claro, e sugestões de sambas maravilhosos também.

Vicente me olha por entre as mechas do cabelo.

— Esqueci que a competente doutora e a desafinada sambista não têm muito o que dizer sobre relacionamentos.

— Ai! — Coloco as duas mãos no peito, de um jeito dramático. — Agora você passou dos limites.

Estou brincando, ele também. Por isso, nós dois achamos graça do desenrolar da conversa. Não sei o Vicente, mas, depois, voltei para o quarto com uma sensação incômoda, como se o "não" dito estivesse contrariado porque preferimos ignorá-lo.

Recuo da bateria

Eu não sei se ela fez feitiço
Macumba ou coisa assim
Eu só sei que eu estou bem com ela
E a vida é melhor pra mim.[11]

Tocava essa música no rádio, enquanto eu dirigia de volta para Belo Horizonte. Elza estava no carro da frente, a poucos metros do meu. De vez em quando, Giovana olhava para trás e mostrava a língua para mim, mas logo voltava a se sentar. Aposto que aquilo já devia estar irritando bastante a mãe.

Eu devolvia a careta, mudando o estilo só para ver o rostinho de Giovana se contorcer por causa das gargalhadas. Obviamente, não dava para escutar, mas eu conhecia o som de suas risadas, algo bem contagiante. Que menina doce e gentil!

Mais cedo, ainda na casa dos pais de Juliano, ela quis aprender a subir em árvore, alegando que nos filmes e nas fotos antigas todas as crianças "têm habilidade". Usou exatamente esses termos. Não

---

11 "Não sou mais disso", composição de Zeca Pagodinho e Jorge Aragão e interpretada por Zeca Pagodinho.

sei de onde Giovana tira essas ideias. Ela é realmente uma menina encantadora, cheia de energia e muito querida por todos nós.

— Subir em árvore? Só se for naquela goiabeira ali.

Eu a carreguei até o pé de goiaba e a ajeitei sobre um galho baixo.

— Não! Mais alto!

— Quer rachar a testa de novo? Esse corte aí mal sarou e a senhorita já está arranjando encrenca.

— Mais alto, tio! Se eu cair, você me pega, uai.

Claro que eu faria isso. Mas irritar Giovana era uma prática bem viciante, porque ela fica muito fofa quando está nervosinha.

— Tem goiaba de verdade aqui! — Sua surpresa me fez gargalhar.

— Pensou que encontraria maçãs ou pêssegos? — zombo.

— Claro que não! Mas não sabia que as goiabas já estavam nascidas.

— Ha-ha-ha! Sim, pelo jeito, a árvore deu à luz.

— Posso pegar?

— Não estão verdes ainda?

— Quase amarelas.

— Vai comer?

— Não sei...

— Por que não, gente?

Ela reduziu o tom de voz, como se não quisesse ofender as frutas:

— Goiaba de pé é feia, toda torta. Prefiro as que nascem no supermercado.

Tive uma crise de riso. Depois contei a façanha para todo mundo, enquanto almoçávamos. Giovana minimizou, dizendo que estava fazendo piada. Ótima desculpa, que todos fingiram comprar, aliás.

Eu amo essa menina, bem como a mãe dela. Mas não amo a filha por causa da mãe. Acho que passei a amar a mãe ainda mais por causa da filha.

Contudo, sigo a vida sem dar sinal dos meus sentimentos. Já são muitos anos ao lado de Elza e nem sequer uma faísca da parte dela. Jamais arriscarei nossa amizade.

O trânsito na Avenida do Contorno, na altura do bairro Funcionários, está às trevas hoje, como quase todos os dias, mas piorado por causa da forte chuva que cai desde cedo. Em Belo Horizonte é assim: pingou, a cidade se torna a personificação do caos. Desisto do rádio, que só fala de acidente na Avenida Brasil, engavetamento na Afonso Pena, alagamento na Via Expressa. Quero ouvir música, não escutar o que já sei, porque nada nunca muda na capital dos mineiros quando resolve chover forte.

Estou parada em um semáforo, olhando fixamente para a luz vermelha, enquanto desejo o calor da minha casa, ou melhor, a força da minha ducha massageando minhas costas. É só disso que preciso para ser feliz hoje, mais nada.

Inevitavelmente, recordo a infância, porque chuva, quando caía lá na roça, era sinônimo de felicidade. Em vez de ficar trancada dentro de casa, eu costumava me meter debaixo da água, escondida da minha mãe, claro. Havia um bambuzal bem fechado na beirada da estrada de terra. Ele não só fornecia uma sombra deliciosa em dias de sol forte como servia de abrigo contra a chuva. Está certo que a barreira não era muito eficaz, mas era isso que mais me atraía. Eu ficava ali, em transe diante do aguaceiro, com os pés enfiados no barro e jogando gravetos na enxurrada, que eu ficava observando até que sumissem de vista.

Giovana não conhece esse tipo de prazer. Ela é uma criança urbana. A história da goiaba que nasce em supermercado me fez ligar para minha mãe e combinar um passeio no sítio o mais rápido possível. Combinamos para o próximo feriado prolongado, daqui a duas semanas. Só não comentei nada com Giovana ainda porque ela vai me atormentar durante quinze dias, sem trégua. Quanto a mim, já tenho feito um exercício de compreensão e paciência para sobreviver a essa incógnita. Parece que minha mãe está mudada. O fim de semana na roça servirá como prova. Veremos.

Meu telefone toca durante minha jornada rumo à clínica. Atendo pelo *bluetooth* sem conferir o nome de quem me chama, deduzindo ser Cíntia, preocupada com meu atraso — ou incomodada com os pacientes se acumulando na sala de espera.

— Elzinha! Pensou que eu tinha me esquecido de você, né?

Reconheço quem é pelo tom em que meu nome é pronunciado, mas, ainda assim, vterifico o celular. Não dá nem tempo de responder.

— Viajei para um seminário em Teresina, mas agora já estou de volta a BH. Vamos marcar nosso encontro para eu conhecer a Giovana?

Todas as vezes que algo me pega de surpresa de um jeito negativo, perco o ar e sinto o sangue sumir do meu rosto, sem exagero. Nem preciso ver pelo retrovisor, mas sei que fiquei pálida feito papel.

— Não adianta me dar desculpas, porque não vou sair do seu pé, Elzinha. Bato até à porta da sua casa sem ser convidada.

Hum, ela acaba de resolver parte do problema.

— Certo, Gabi. Acho que lá em casa seria melhor.

Antes no meu apartamento do que no território dela — e de Felipe.

— Ótimo! Agora precisamos falar de datas. — Ela solta uma risada toda animada, o que me causa uma inveja danada.

Ah, a ignorância...

— Este sábado, à tarde? — sugiro. Que seja o quanto antes para acabar o mais rápido possível. — Lá pelas quatro?

— Perfeito! Vou sozinha para fofocarmos.

Se Gabriela não tivesse dado essa ideia, daria eu mesma.

— A Giovana pode comer chocolate?

Neste momento, volto a sentir o coração um pouco mais quente.

— Sim, Gabi. Mas não se preocupe.

— Não estou me preocupando, boba. E me envia seu endereço. Nos vemos no sábado. Eba!

...

Meu apartamento tem duas coisas que amo: a varanda e a vista — se bem que a segunda é consequência da primeira. Na verdade, eu o amo completamente, porque é meu, pude comprá-lo quando minha vida profissional engrenou. Quando o dia está claro, tenho o privilégio de ver a Serra do Curral, a parte que o homem (ainda) não degradou. À noite, parte da cidade pisca diante de mim, brilhante, como uma joia da coroa ou montes de luzinhas de Natal.

Achei que seria mais agradável receber Gabriela na varanda. Já que ela está na minha casa, e isso foi algo que não pude evitar de jeito nenhum, melhor que nosso tempo juntas seja suave. Essa varanda é meu bálsamo.

Ela trouxe chocolate para Giovana, uma quantidade um pouco acima daquilo que uma mãe julga ser aceitável. Foi assim que Gabriela caiu imediatamente nas graças da minha filha, que só me deu uma olhada de canto de olho antes de abocanhar o primeiro. Entendi o recado direitinho. As duas se deram bem, mas é difícil alguém não se encantar por Giovana (exceto Maria, mas vamos esquecer), porque ela é uma criança muito extrovertida e simpática.

Apesar disso, há algo diferente no olhar de Gabriela. Posso estar enganada, claro, já que não sou de adivinhar o que as pessoas estão pensando. Não sei se é ternura misturada com melancolia, ou admiração com tristeza. Não sei... Mas que há algo, há.

Quando Giovana se entedia de tanto ouvir a conversa de duas adultas e vai para a sala assistir a algum desenho na televisão, ela se torna o assunto principal.

— Elzinha, ela é uma doçura!

— Não conte com isso. Está mais perto de parecer uma pimenta.

— Chocolate com pimenta, então.

Acho a definição interessante, considerando que ela resume bem a personalidade da minha filha.

— Ela é uma criança muito vivaz e parece tão feliz. Você se saiu maravilhosamente bem no papel de mãe, prima.

— A duras penas, Gabi. Nem sempre foi um mar de rosas...

Gabriela quer saber como dei conta de fazer residência, lidar com a gravidez, viver longe de todo mundo, trabalhar, cuidar sozinha de um bebê. São tantos questionamentos, mas nenhum deles é novidade para mim. Todas as pessoas têm esse tipo de curiosidade sobre a minha vida.

Hoje em dia, acho graça, mas já me senti muito incomodada, principalmente lá no começo de tudo. Raramente alguém pergunta para uma mulher que acabou de ser mãe, mas que vive com um companheiro, como ela consegue dar conta de tudo. Nesse caso, subentende-se que existe necessariamente um compartilhamento equilibrado das funções, uma divisão igualitária entre a mãe e o pai. Longe de mim generalizar, mas desconheço, de verdade, uma realidade como essa que acabei de pintar. No mundo real, é comum que as mães sejam mais sobrecarregadas e "tenham que dar conta de tudo" ainda que vivam com outra pessoa.

Eu também dei conta desse tudo, mas não sem ajuda — força física e amparo psicológico. Tive, e ainda tenho, Mirtes e os meninos. É o que explico para Gabriela e para qualquer um que me apareça com as mesmas indagações. Só omito um dado, para não flertar com o perigo: o fato de Giovana lamentar não ter um pai, mesmo que ela só levante essa questão de vez em quando.

— Não estou sendo amarga, Gabi. Não sei se me fiz entender. Duas pessoas com os mesmos objetivos costumam formar um time vitorioso no desafio da maternidade e da paternidade. Mas se a mentalidade for aquela "ele é um ótimo pai, me ajuda quando pode", aí não sei se é muito diferente da minha situação.

O melhor dos imprevistos

— Entendo, sim, aquela velha história de endeusar a ajuda em vez de ser uma divisão natural. Ou melhor, uma soma de responsabilidades e energias, né?

— Exatamente.

— Mas não deixo de te admirar, Elzinha, principalmente por não ter desistido da residência. Imagino que não tenha sido brincadeira.

Gabriela transmite sinceridade. Cada minuto passado com ela tem me feito desejar ser mais próxima da minha prima. Como superar meu dilema? Não quero reviver a fase em que eu desejei não estar grávida, em que não conseguia me conectar com minha filha. Carregava um rancor muito grande. Não gosto de revisitar essa história.

— Sabe que não tenho filhos, né? — diz Gabriela, repentinamente.

Não estava nos meus planos levantar essa questão, apesar de toda a curiosidade. Como partiu dela...

— Vida de pesquisadora, cientista, mergulhada no trabalho. — Esse é o meu palpite, que exponho de um jeito descontraído.

— São essas as desculpas que dou.

Sinto o tom amargo, o que soa muito estranho, vindo de uma pessoa tão doce e alto astral. Não vou pressioná-la para que me conte o que quer que seja, mas não nego que a curiosidade é grande.

— Quer mais um pouco de suco? — ofereço, prezando o restabelecimento do clima leve em detrimento da minha vontade de saber.

Ela aceita, degustando o sabor bem devagar, enquanto contempla a vista da minha varanda.

— Adoro crianças, Elzinha. Por mim, teria uns quatro filhos. Sou muito ocupada mesmo, como você. Mas e daí? Quantas mulheres trabalham fora e são mães.

Por alguns instantes, chego a pensar que ela não pode ter filhos. Não seria Felipe o estéril, no caso. Só inclinar um pouco a cabeça que consigo enxergar o fruto da fertilidade dele sentadinha na sala, vendo TV. Deve ser ela. Estou com as palavras prontas para dizer alguma coisa, mas Gabriela é mais ágil do que eu.

— Combinamos de não ter filhos quando ficamos noivos.

— Ah... — Não sei o que dizer.

Ela ri, mas é um riso sem humor.

— Anos atrás, disse que desistia de ter filhos quando Felipe impôs essa condição para que nos casássemos. Fui uma grande idiota, porque, primeiro, deixei que ele barganhasse. Eu deveria ter chutado a bunda dele, isso, sim. A segunda idiotice, o que me levou a aceitar o acordo, foi pensar que ele mudaria de ideia com o passar dos anos.

— E ele não mudou... — murmuro. Minha cabeça está girando feito carrossel de parque.

— Ele não mudou — Gabriela respira fundo e termina de beber o suco de laranja. — E tampouco tomei qualquer tipo de atitude.

— O que quer dizer?

— Passei os anos deixando para lá, Elzinha. No começo, até tentei convencer Felipe a mudar de ideia. Mas ele se manteve irredutível. Não gosta nem de tocar no assunto, alegando que foi um combinado nosso antes do casamento.

Estou pasma. Como alguém que nem considera a chance de ter um filho com a esposa pode insistir na ideia de participar da vida da minha filha? Que absurdo é esse?

— E ele diz por que não quer ser pai? — Não dou conta de segurar essa pergunta.

— Desde que nos conhecemos, Felipe é contrário à ideia, mas nunca apresentou um motivo definitivo. — Gabriela balança os ombros. — Diz que nunca foi um desejo dele.

— Nunca foi um desejo *dele* — ressalto. — Mas e quanto a você?

— Concordei com a ideia antes de nos casarmos. E Felipe usava isso contra mim sempre que eu tentava argumentar.

Não estou indignada porque ele nunca quis ter filhos. Se essa não era a vontade de Gabriela, não deveria ter aceitado o acordo. E se ela deseja tanto ser mãe, talvez tenha que desistir do casamento. São questões muito específicas do relacionamento deles. O que me choca é a postura completamente destoante de Felipe em relação

O melhor dos imprevistos

a Giovana. Claro que ela não é mais um bebê ou mesmo uma criancinha que requeira total atenção. Tampouco sou a esposa dele, o que desconfigura a estrutura do casamento com filhos, aquilo que Felipe nunca quis, segundo Gabriela. Ainda assim, estou pasma.

Como minha prima reagiria ao descobrir que o marido já é pai e que ele deseja participar da vida da filha?

— Não sei o que dizer, Gabi. Minha vontade é meter o pau nele e te dar toda razão. Mas talvez não seja bem isso o que você espera.

Nem foi algo assim tão engraçado o que acabei de falar, mas Gabriela morre de rir.

— Não é um drama, Elzinha. Realmente amo crianças e sou louca por bebês. Não sei o que acontecerá no futuro. Futuro é futuro, né? E agora que nós duas nos reencontramos, tenho certeza de que me deixará paparicar a Giovana. — Ela diminui o volume da voz, como se estivesse conspirando comigo. — Vou insistir para que ela me chame de tia.

— Claro — digo, sem muita convicção.

— Quem sabe o Felipe se encante por ela também e acabe mudando de ideia, hein?

Meu coração afunda.

— Não seria incrível?

Simulo um sorriso, daqueles bem amarelos.

Bem provável que toda essa história não vá acabar nada bem. Cada novo encontro com Gabriela em que fico em silêncio é um dia a mais que minto para ela.

Quando criança, eu era viciada em chiclete. Não passava um só dia sem que mascasse pelo menos uma goma. Meus pais faziam terrorismo, afirmando que perderia todos os meus dentes antes dos vinte anos, contavam histórias dos bichinhos que viviam dentro da boca, pensando que eu ficaria com nojo ou medo e largaria o vício. Como nada adiantava, eles desistiram e, para compensar o açúcar em excesso na boca, passei a escovar os dentes de cinco a seis vezes por dia. Só perdi o gosto quando saí da adolescência e o chiclete deixou de ter um sabor especial. O paladar infantil é mesmo diferente.

A cerca de um quilômetro do sítio dos meus avós existe um povoado. Lá, a vida é tão pacata que o tempo parece passar bem devagar. É como no Samba do tempo, de Alceu Valença:

> *O tempo*
> *Se dilata como um fio*
> *Cordão, elástico, caminho,*
> *Estrada que nos transporta.*

Sempre tive a sensação de que o tempo na roça, especialmente naquele lugarejo, não obedecesse a critério algum, passando con-

O melhor dos imprevistos

forme o sabor dos ventos, sem compromisso. Da hora em que eu saía da cama para acompanhar a ordenha com vovô até voltar para ela com a obrigação de dormir, parecia que tinha vivido uns dois dias em vez de apenas um.

O chiclete e o vilarejo não são lembranças desconectadas. Ir passear na roça significava ser livre para poder caminhar mais de um quilômetro por uma estradinha de terra só para comprar um saco cheio de chicletes na venda de Seu Neném, a única do povoado na época. Eu preferia os de hortelã. Minhas primas gostavam dos de tutti-frutti. Aparecíamos em bando na venda, nos dependurávamos no balcão de madeira cheio de sulcos, que eu imaginava terem sido feitos com canivete, e pedíamos todas ao mesmo tempo. Nós espalhávamos nossas moedas diante de Seu Neném e perguntávamos:

— Isso dá para quantos chicletes?

Mal-humorado, ele contava uma por uma e depois enchia o saco de papel pardo; eu o azucrinando para colocar um pouco mais do sabor de hortelã. Seu Neném era tão rabugento! Imagino que ainda seja, mas faz anos que não o vejo. Minha memória se lembra direitinho até do cheiro daquela venda, uma mistura de fumo de rolo com a poeira da rua de terra batida.

Estar de volta ao sítio abriu as comportas que represavam essas doces lembranças. Agora não sei quem está mais contente, Giovana ou eu, que, desde que chegou, demonstra tanta intimidade com o campo que parece ter passado a vida inteira aqui.

Meus avós estão em êxtase com a visita, mas os mais empolgados são meus pais.

Não vou negar que passei a viagem toda com uma sensação incômoda no estômago, preocupada com o reencontro. Minha mãe e eu temos nos falado com frequência por telefone ou vídeo, mas, ainda assim, não pude evitar a ansiedade. Nada que a recepção alegre, os abraços carinhosos, o ar puro do campo e a natureza bucólica não resolvessem. Assim que me deparei com tudo isso, meu coração se acalmou.

— Por que não tiram esses sapatos? — sugeriu vovó, tão logo teve oportunidade. — Andar descalça na terra é ótimo para recarregar as energias.

Giovana nem esperou minha aprovação para obedecer à bisavó. Eu a acompanhei. Há muitas coisas que pretendo resgatar dos velhos tempos. Ficar descalça e comprar chicletes na venda de Seu Neném são algumas das prioridades desta lista.

...

Fazia muito tempo que eu não comia como comi hoje. Para quem não sabe, mineiro tem o costume de demonstrar afeto deixando a mesa sempre pronta e muito farta. Você pode ter acabado de tomar café da manhã, com direito (ou obrigação) a pães, bolos e broas, queijos, rosquinhas, tudo no plural mesmo, mas o almoço será servido como de costume, naquele horário. E você tem que comer! Fazer dieta na casa de um mineiro raiz é quase uma ofensa — por aqui, chamamos de desfeita. Minha avó é patrimônio da mineiridade. Além de a casa ser toda decorada daquele jeitinho típico, ela faz as pessoas emendarem uma refeição na outra, como se todo mundo tivesse estômago de avestruz.

Para compensar a barriga pesada, chamo Giovana para um passeio pelos arredores. Quero muito apresentar minha infância para ela. Minha mãe gosta da ideia e pergunta se pode nos acompanhar.

Ela perguntou. Não se impôs. Está mesmo mudada essa dona Bete.

Começamos pela lagoa, onde meu avô mantém as carpas, um tipo de peixe tão lindo que me fazia ficar horas hipnotizada, sem saber se as douradas eram mais bonitas do que as brancas.

— Jogue pão para elas. — Entrego um para Gio, que dá pulinhos de alegria ao ver as carpas emergindo para abocanhar os pedaços.

— Ainda bem que a gente está dando comida para elas, né? Então, elas não vão virar nossa comida.

Minha mãe tem um acesso de riso e abraça Giovana. Pisco várias vezes para desembaçar os olhos. Estou acostumada com as tiradas

O melhor dos imprevistos

da menina, mas não com minha mãe sendo tão espontânea. Ela é doida pela neta. Mais uma vez, sinto remorso por não ter aceitado o apoio dos meus pais quando tudo aconteceu. Bem, agora são águas passadas.

Quando Giovana se cansa das carpas, seguimos as três para o pomar.

— Todas essas árvores são frutíferas, querida — diz minha mãe.

— Mas por que algumas não têm fruta hoje? — Giovana está intrigada.

— Porque existe a época certa para cada fruta nascer, como a jabuticaba. Veja como as jabuticabeiras estão cheias.

Minha filha fica de boca aberta. Mas quem é capaz de resistir a uma jabuticabeira carregada?

— Nós vimos gente vendendo jabuticaba na estrada, né, mamãe?

— Verdade. Mas elas são muito mais gostosas quando chupamos direto do pé.

— Direto do pé? — Parece que Giovana entendeu ao pé da letra. Então, minha mãe e eu demonstramos como fazer.

— Não tem que lavar primeiro? — Minha filha faz cara de nojo.

— Tem razão. Mas a gente dá uma raspadinha na roupa, sopra e pronto! — explico, porque foi assim que fiz a vida inteira. — Mas só aqui na roça, viu?

Giovana não se empolga muito com o gosto da jabuticaba, mas morre de amores pelo pé de acerola e adora amora, nunca experimentada antes.

— Pomar é um negócio bonito, né, vovó? Tão colorido!

— É lindo! E tudo muito saudável, sem agrotóxico.

— Agro... o quê?

Minha mãe caminha na frente com Giovana, mostrando outras árvores frutíferas, enquanto explica, de um jeito bem simples, o que são agrotóxicos. Fico para trás, deixando que as duas fortaleçam seus laços.

Dizem que quanto mais velhos somos, mais compreensão das coisas temos. Acho que sim. Compreendo agora que é bobagem ficar fixada no passado. Minha mãe foi muito dura comigo. Mas vejam só como é doce com Giovana. Manterei isso em foco sempre que o rancor tentar me visitar.

Não dá mais, vamos viver numa legal
Sem atrito, sem vendaval, mal ou bem com vitória
Pra nós dois, não vale se guardar rancor.[12]

— Quem quer tirar leite da vaca?

Meu avô faz a maior algazarra para acordar Giovana, e são apenas cinco e meia da manhã. Noite passada, ele contou para ela como minhas primas e eu adorávamos acompanhá-lo nas excursões ao curral, não nos importando em sair da cama junto com as galinhas.

— Cadê a menininha madrugadeira?

— Aqui — responde ela, correndo para fora do quarto balançando o rabinho de cavalo alto que acabei de fazer. — Vou poder tirar leite ou só ver?

— Só quem pede a bênção ao vô.

— Bênção, vô!

Ele segura sua mão e os dois somem da minha vista. Eu me pego recordando a textura das mãos do meu avô, outra memória viva da infância.

Credo, vô, suas mãos são duras!, disse, certa vez, muitos e muitos anos atrás.

Porque eu tenho poderes mágicos, segredou ele, com a cara mais lavada do mundo.

Ah, que mentira!, desdenhei, mas fiquei bastante curiosa.

Não vê a horta? Está cheia de verduras verdinhas! E o pomar? Lotado de frutas deliciosas! O pasto? Quanto boi! Já deu uma olhada

---

12 "Sem rancor", composição de Mário Sérgio e Sereno e interpretada pelo grupo Fundo de Quintal.

na cesta de ovos? Cuidar para que tudo isso aconteça é coisa de gente mágica. Não sabia?

Ele me convenceu. E hoje tenho certeza disso. As mãos calejadas de vovô são a prova da magia que ele praticou durante a maior parte da vida.

Não volto para a cama depois que Giovana sai. É gostoso estar de pé assim, tão cedo, com a perspectiva de um dia inteiro pela frente, sem clínica, sem trânsito, sem a possibilidade de esbarrar em Felipe no estacionamento da escola.

Visto uma roupa leve e calço tênis para caminhar pela estrada até a venda de Seu Neném. Tenho um pouco de medo de me decepcionar caso as coisas estejam muito mudadas por lá. Por outro lado, quero ver se ele me reconhece e se os chicletes de lá continuam tão saborosos.

Antes, encho de fotos o grupo que tenho com os meninos no aplicativo de mensagens. A última, só para ser engraçadinha, é uma minha pendurada de cabeça para baixo no galho de uma das jabuticabeiras. Escrevo: "O mundo está ao contrário e ninguém reparou, só eu". Desisto de acompanhar as respostas quando percebo que vou perder muito tempo dando bola para as palhaçadas daqueles quatro.

— A venda abre às seis — avisa vovó. — Venha tomar café primeiro. Fiz umas coisinhas.

Ela chama de coisinhas o que nunca vi nem em hotel chique.

— Vó, é muita coisa.

— Experimente um pouquinho de cada, uai, especialmente o cuscuz.

Se ela sonhar que eu tomo uma xícara de café e como uma torrada, quando muito uma fruta para incrementar, todas as manhãs, vai mandar encomendar minha alma.

Demoro mais tempo do que esperava para terminar o café da manhã. Não basta comer, é também necessário jogar conversa fora, enquanto se alimenta. Mais ou menos como acontece entre mim e os meninos, só que de um jeito mais tranquilo, sem nossas folclóricas provocações. Depois, ajudo com a organização da cozinha.

— Então, já vou. Vó, a senhora garante que Seu Neném está vivo, né? Não quero dar um fora ao perguntar por um homem morto.

Ela faz um som de reprovação com a língua.

— Menina, moro aqui desde sempre. Ninguém nasce ou morre nas cercanias sem que todo mundo fique sabendo.

Se é assim, saio tranquila, sentindo o arzinho fresco da manhã cumprimentar a pele do meu rosto. Estou bem perto da porteira quando minha mãe me alcança.

— Posso te fazer companhia?

— Vou subir a estrada para ir lá na vila — aviso previamente para que depois ela não reclame.

Quando pequena, tinha o costume de evitar minha mãe, porque, sempre que me via, ela inventava uma obrigação para mim. Muita coisa aconteceu de lá para cá, mas é difícil me desfazer de velhos costumes enraizados.

— Você vai comprar chiclete? — Ela ri, não dando bola para meu recado.

— Esse é o pretexto.

Relaxo. Não sou mais aquela criança assustadiça, e ela tem sido legal nos últimos tempos.

No começo da caminhada, a conversa se sustenta de forma bem genérica. Minha mãe me pergunta sobre o trabalho, os meninos, a rotina de Giovana. Também reclama um pouco da reforma que resolveu fazer na casa. E então, não sei por qual motivo, conto que Gabriela e eu temos nos visto.

— Verdade? — Demonstra surpresa. — Não sabia que ela estava em Belo Horizonte agora. Maza não me disse nada.

Maza é minha tia, irmã da minha mãe e mãe de Gabriela.

— Mesmo? Estou chocada. Tia Maza sempre adorou dar conta da vida dos outros — comento, maldosa.

— Da vida dos outros, desde que não sejam os outros dela.

— Isso é verdade, mas, ainda assim, muito estranho. Até porque a Gabriela tem um cargo importante na universidade. Tia Maza está normal?

O melhor dos imprevistos

— Faltou oportunidade — conclui mamãe. — Conversar de vez em quando por mensagem não é a mesma coisa que conviver.

Concordo, movendo a cabeça, e visto a carapuça. Quantas vezes deixo de ligar para os meus pais? Envio pequenos textos umas, duas vezes por semana, sempre com a desculpa de que não tenho tempo para nada. Há tantas coisas acontecendo ultimamente, o que tem me feito repensar muitas decisões. Felipe ter reaparecido, Gabriela tão simpática, minha mãe amolecendo o coração...

Subitamente, sem que eu tenha tempo de pesar as implicações do que acabou de me ocorrer, sinto vontade de contar a história secreta para mamãe.

No meio do caminho, toco no braço dela e pergunto:

— O quanto da verdade você aguentaria ouvir, mãe?

23

Sentamo-nos à sombra do bambuzal, que milagrosamente não foi devastado pelo homem. Ele continua igual, cheio, formando arcos naturais sobre um trecho da estrada. Ali, a luz do sol recebe tanta resistência que a terra do chão vive úmida, fresquinha.

Tivemos que nos sentar, porque minha mãe ouviu toda a história em profundo silêncio e, desde então, tem tido um pouco de dificuldade para respirar. Em outras épocas, eu diria que foi a subida que a deixou sem fôlego, mas não serei maldosa. Os olhos dela explicitam a reação do corpo.

Tento retomar o assunto, mas as palavras me escapam, não consigo encontrá-las. Será que me precipitei? Não deveria ter deixado tudo como já estava há anos? Logo agora que passamos a nos entender melhor, será que estraguei tudo?

Apoio os cotovelos sobre meus joelhos e enterro a cabeça entre minhas mãos. Uma pessoa montada num cavalo passa por nós e diz:

— Opa!

Mas continuo inerte, com muito medo de ter tomado a decisão mais errada da vida. Até que algo chocante acontece. Minha mãe passa o braço em torno dos meus ombros e me puxa para mais perto dela. Aí, eu desato a chorar.

O melhor dos imprevistos

São lágrimas nunca antes choradas, que ficaram retidas, contribuindo com meu rancor. Elas escorrem, empurrando, de dentro para fora, todos os julgamentos que fiz e desculpas que criei para não ser apoiada por meus pais. Difícil saber por quanto tempo ficamos assim. Vez ou outra alguém passa e pergunta se está tudo bem, se precisamos de ajuda. Até que, do mesmo jeito repentino que vieram, minhas lágrimas cessam. Não que tenham secado. Eu que perdi a vontade de chorar. A alma foi devidamente lavada.

Levanto a cabeça. Meus olhos ardem e posso sentir o inchaço.

— Não sei se acho você corajosa ou boba — diz minha mãe. As palavras parecem duras, mas foram ditas com ternura. — Corajosa por esconder a verdade e aceitar as consequências só para si, mas boba pelo mesmo motivo.

A essa conclusão eu já tinha chegado havia muito tempo.

— Eu sei — murmuro.

— E talvez seja melhor apressar certas conversas, Elza. Giovana e Gabriela têm o direito de saber de tudo, o quanto antes.

— Eu sei — repito. — Vou dar um jeito nessa bagunça de uma vez por todas.

Só não acrescento que ainda não imagino como.

— Muito bem. — Mamãe se levanta e me puxa. — Agora vamos lá comprar chiclete de hortelã na venda de Seu Neném.

— Meu preferido, o chiclete.

...

O vilarejo mudou muito pouco desde que estive aqui pela última vez. A diferença é que agora as ruas estão calçadas e há mais carros estacionados do que carroças e cavalos.

Na venda, tudo igual. Os riscos no balcão, as mercadorias dependuradas, o maço de folhas de papel pardo para anotações das contas, a mulher de Seu Neném, Dona Dica, sentada nos fundos com os óculos na ponta do nariz, alguns homens na porta tomando cachaça — a essa hora da manhã?

O casal se lembrou de mim assim que os dois me viram. Cheguei a me emocionar. Disseram que mudei muito pouco, que continuo com cara de anjo caído. Nem imagino o que isso significa. Tentei pagar pelos chicletes, mas acabei ganhando um saco de papel pardo cheio deles. Não sei o que vou fazer com tantos. Hoje em dia, não tenho mais o costume de mascar, e Giovana não gosta.

Minha mãe e eu fazemos o caminho de volta para o sítio depois de nos despedirmos de Seu Neném e Dona Dica, não sem prometer voltar e levar minha filha para eles a conhecerem. Evitamos tocar naquele assunto, tampouco conseguimos sustentar algum tópico de conversa por mais que poucos minutos. Mamãe me surpreendeu aceitando pacificamente a verdade, quando eu esperava julgamentos. No entanto, por dentro, imagino que esteja no meio de uma batalha emocional bem difícil. Claro, a história não é só sobre Giovana, Felipe, Gabriela e eu. Envolve também boa parte da família.

Quase perto da porteira, ela segura meu braço. Interrompemos a caminhada e fico na expectativa para ouvir o que minha mãe tem a dizer. Deve ter passado o último quilômetro ruminando as ideias.

— Não passe mais sete anos protegendo esse segredo. Giovana pode ter dificuldade em aceitar a verdade se demorar demais a saber.

Concordo. O tempo, nesse caso, é um inimigo traiçoeiro.

— Você sabe que não vou conseguir esconder isso do seu pai, né?

— Tudo bem. É melhor contar para ele de uma vez.

— Prefere fazer isso?

Reflito por uns instantes, mas concluo que não tenho energia para essa segunda rodada. Não hoje.

— Conte você, mãe, quando estiverem sozinhos. E depois eu ligo para ele. — Sinto um frio na barriga. — Será que papai vai me odiar?

Ela aperta minha mão e retoma a caminhada, enquanto diz:

— Odiar? Desde quando seu pai tem sentimentos extremos? Ele vai ouvir, soltar uns comentários e terminar dizendo que a vida é assim mesmo.

...

Passei o resto do fim de semana prolongado lançando alguns olhares de esguelha para papai, com receio de que mamãe não tivesse esperado que os dois estivessem sozinhos na casa deles para abrir o bico. Mas tudo não passou de preocupação desnecessária, pois ela cumpriu a promessa. Meu pai ficou a maior parte dos dias acompanhando Giovana pelos arredores do sítio, fazendo tudo o que ela queria.

No cômputo geral, não posso reclamar. Foi ótimo estar com meus pais e avós. Fazia tempo que não me sentia à vontade no meio da família — uma parcela bastante reduzida, mas provavelmente a mais importante. As despedidas foram tristonhas, como todas costumam mesmo ser. Só que dessa vez prometi não esperar demais para voltar, e fui sincera.

— Nas férias, ficaremos pelo menos uma semana — assegurei.

— Então, vai coincidir com o nascimento de muitos animais novos. Quando voltarem, o sítio estará cheio de bebês — avisou vovô.

Isso deixou Giovana em estado de puro deleite.

— Espero todos vocês em Belo Horizonte. Meu aniversário está chegando. Quem sabe não se animam a passarem lá comigo? — convidei, disposta a ceder um pouco mais.

Os olhos da minha mãe brilharam de satisfação. Posso ter sido muito cobrada por ela ao longo da vida, mas pretendo, de verdade, deixar as mágoas no passado.

No trajeto de volta, Giovana apagou. Consumiu toda a energia durante o fim de semana, portanto se deixou levar pelo sono. Eu queria ir direto para casa, mas acabei concordando em passar no apartamento de Vicente antes. Os meninos estavam com saudade da minha pequena e prometeram fazer um lanche caprichado para nós.

— Pensaram que íamos rejeitar a oferta para comer aqui no apartamento do Vicente? — digo, sentada relaxadamente na poltrona preferida do dono da casa.

Chegamos faz alguns minutos e fomos recebidas em clima de festa, porque meus amigos fizeram o maior teatro quando viram Giovana. Ela entrou no clima deles. O sono e o cansaço evaporaram.

Marina Carvalho

— Sua cara está ótima — comenta Juliano, aconchegando-se ao meu lado.

— Ares do campo, companheiro.

— Isso também, mas tem algo mais.

— Tivemos um fim de semana alegre. Foi ótimo voltar ao sítio, estar com meus avós, ver Giovana feliz — explico.

— Ficar dependurada de cabeça para baixo em árvores... — completa Vicente, com um sorriso torto.

— Mamãe sabe fazer um monte de coisa de roça — declara Giovana, a boca toda suja de cobertura de chocolate.

— Uma verdadeira mulher do campo — debocha Benjamim.

Reviro os olhos.

Os quatro me fazem contar detalhes do passeio, mas Giovana acaba assumindo a narrativa, o que eu acho muito bom. Percebo só agora como estou exausta. Enquanto minha filha dá seu parecer entusiasmado, me permito fechar os olhos. É um ambiente e são pessoas tão familiares, que não preciso lutar contra o cansaço.

As vozes vão sumindo, ficando distantes. Mas quando recupero a consciência, estou sozinha na sala. Acabei cochilando e não foi por pouco tempo. Meio atônita, levo uns instantes ordenando a mim mesma para levantar do sofá e dar um jeito de ir para casa. Amanhã é dia de trabalho. Minha agenda do dia fala por si só.

— Maria e eu terminamos.

— Puta merda! — Tomo um susto porque não vi Vicente antes de escutar a frase.

— Desculpa.

Ele está vindo de outra parte do apartamento, por isso não o enxerguei.

— Vocês terminaram? — Agora recuperada do estado de sonolência e do susto, retomo o assunto.

Vicente faz que "sim" com a cabeça, enquanto se joga no sofá.

— E está tudo bem?

— Empurramos demais o namoro. Foi um término natural e sem trauma.

O melhor dos imprevistos

Analiso o rosto dele, conferindo se o que ele diz é verdade.

— Ei, pare de me encarar — protesta, com um sorriso meio de lado. — É sério, estamos os dois bem.

— Se é assim... Vou acreditar. Conheço você há muito tempo para saber que quando diz alguma coisa é sempre o que realmente queria dizer. Não vou ficar especulando, porque com você não existe a menor chance de dissimulação.

— Obrigado — diz Vicente, um pouco desconfortável.

Ele é seco até para receber elogios. Como diz Lucas, "signo de terra".

— Onde está todo mundo?

— Os caras foram embora depois que você e Giovana apagaram.

— Ela também dormiu? — Acho graça. — A gente descansou a mente, mas deu o maior trabalho para o corpo.

— Isso é ótimo.

— Vou acordá-la. Temos que ir para casa. Você me ajuda?

— Passe a noite aqui.

Encaro Vicente, meio confusa. Não é o convite que me atordoa, mas, sim, o tom empregado.

— Passe a noite aqui — repete ele, mais suavemente agora.

Eu devo ter imaginado coisas na primeira vez.

— Está tarde. Amanhã, cedinho, acordo vocês. Combinado?

— Tá.

Não sei por que concordei se podia muito bem ir para casa. Talvez eu só quisesse permanecer naquele aconchego por algumas horas a mais.

137

24

Anos antes, na faculdade

Sabe aquele tipo de pessoa que todo mundo adora ter por perto? Em quase todo grupinho existe uma, mas geralmente ela só faz transitar de uma esfera à outra, porque as atenções que lhe são direcionadas viciam e esse indivíduo não quer perder sequer um adulador. Esses espécimes pavoneados costumam ter o sorriso frouxo e a postura determinada. Caminham com confiança e têm um arsenal de palavras e expressões certas para cada situação.

Lucas era o pavão da nossa turma, ou melhor, José Lucas, conforme seu registro de nascimento. Ele tinha a língua solta e piadas prontas que escorregavam por ela sem o menor constrangimento. Todos os alunos o queriam por perto, até os veteranos, devido à sua habilidade em tornar tudo banal, reduzindo a gravidade dos fatos. Também tinha pinta de galã, embora sem aquela aparência óbvia de todos que se veem como a criatura mais abençoada pelos deuses. Era musculoso, mas preferia as camisetas mais soltas, o que, para mim, denunciava um perfil descolado estrategicamente intencional.

Confesso que, mesmo que Lucas não fizesse meu estilo — muita gostosura para uma só pessoa —, gostava de observar sua desenvoltura, que fazia parecer que a vida era a coisa mais simples do mundo. Não admitiria jamais, mas dava até um pouquinho de inveja.

O melhor dos imprevistos

Um dia, esperando o ônibus para voltar para casa depois das aulas, ele meteu a cabeça para fora da janela de um carro vermelho e me chamou. Mesmo meu nome sendo bastante incomum, duvidei por uns instantes de que fosse comigo. Jamais orbitei em torno do popular Lucas. Chovia bastante e eu tentava me proteger debaixo da cobertura do ponto de ônibus, espremida entre inúmeras outras pessoas e seus guarda-chuvas. Nem sei como Lucas me viu no meio daquele mar de gente.

— Corre aqui, Elza. Deixo você onde quiser.

Eu poderia ter me feito de difícil, naquele joguinho perdido de "não, imagina, não estamos indo para o mesmo destino", mas nos poupei. Ele não teria oferecido a carona se não estivesse disposto a me levar. Entrei no carro um pouco envergonhada, os cabelos escorridos como pelo de poodle molhado.

— Desculpe — foi a primeira palavra que disse.

— Pelo quê? Carro não gripa. — Lucas riu da própria piada e achei mais educado imitá-lo, mesmo não tendo visto muita graça. Afinal, o menino estava quebrando meu galho. — Vai pra onde?

— Se quiser me deixar no centro, em qualquer lugar lá, já será uma mão na roda.

— Gatinha, não faço serviço incompleto. Aonde quer ir?

Explico onde moro, sem deixar de presumir os motivos para essa gentileza repentina.

— Sem segundas intenções.

— Hã?

— Sei que você está encucada.

— Eu? — Finjo de boba, mas é claro que estou. Desde quando sou detectada pelo radar de Lucas?

— Sua testa está franzida.

— Ah...

Lucas coloca uma música, que preenche o ambiente estranhamente silencioso. Que eu saiba, ele é uma das pessoas mais comunicativas que conheço. Vai ver que eu o intimidei.

— Sei que sou um cara legal e que faço a alegria da galera.

Nossa, aquilo foi pior do que qualquer bizarrice que eu pudesse imaginar.

— Mas não tenho muitos amigos.

— Até parece. Por onde você anda, tem sempre um bando atrás.

— Não são meus amigos. Eu me faço de palhaço e todo mundo compra ingresso para o show.

Não contava com essa revelação. A surpresa é tanta, que abro a boca e esqueço de fechá-la.

— Choquei você?

— É que não entendo. Não é disso que você gosta, de atenção?

Lucas engasgou e teve dificuldade para articular a resposta. Talvez tenha sido sincera demais.

— Olha só, desculpa — falei, constrangida.

— Não, é por aí mesmo. Entrei na faculdade com a ideia fixa de ser o descolado da turma, o sujeito legal, que aparenta ter vindo ao mundo só para se divertir.

— Mas... — Eu o estimulei a continuar. Minha curiosidade tinha sido completamente instigada.

— Fui um dos alunos mais introspectivos na época da escola. Franzino demais, gago, único negro da classe; nesse caso, igual na faculdade. Quase todos os colegas pegavam no meu pé.

— Bullying.

— Nossa, que tempo ruim.

Foi nesse momento que senti pena de Lucas. Eu o via todos os dias com o astral nas alturas, sempre acompanhado, falando besteira. Até então ele era o símbolo de um estilo de vida sem amarras, muito diferente do tipo de vida que eu tinha.

— Passada a adolescência, dei um jeito de acabar com isso — contou, voltando a sorrir seu sorriso Mentex.

— Como?

— Praticando esportes, tratando com fonoaudiólogos meu problema na fala e fazendo muitas e muitas sessões de terapia. Aí, fiquei gato assim, engraçadinho e todo mundo acredita que minha autoconfiança é inata.

O melhor dos imprevistos

Ele disse de um jeito brincalhão, mas foi uma declaração muito forte.

— Ficou gato, é? — provoquei. — Segundo as vozes da sua cabeça?

Lucas soltou uma gargalhada gostosa. Era verdade, ele era realmente muito lindo. Porém, preferi guardar essa observação só para mim.

— Segundo minha enorme lista de contatos.

— Ah, pronto!

Estávamos quase no centro da cidade e eu já tinha mudado minha opinião sobre Lucas. Passei meses o vendo como um cabeça-oca e, agora, eu o enxergava como o garoto que não se permitia repetir o desprezo sofrido na infância e na adolescência. Quem poderia culpá-lo?

— Posso ser amigo de vocês?

A baliza perfeita nos deixou rente à calçada em frente ao prédio onde eu morava com três colegas.

— Posso ser amigo de vocês? — repetiu Lucas, pausadamente, para o caso de eu não ter entendido de primeira. Só estava mais uma vez chocada.

Que carona reveladora!

— Amigo mesmo, não colega de zoeira — completou.

— Vai ter que passar por nossa cerimônia de iniciação antes — brinquei, invertendo nossos papéis.

— Desde que eu não tome um banho de água gelada ou tenha que rolar na terra. — Referências ao trote de meses atrás.

— Não espere que sejamos tão bonzinhos assim.

25

— *Aqui, doutora.*

Cíntia deixa os prontuários dos pacientes da parte da tarde sobre minha mesa.

— Já vou almoçar — avisa, acenando seus dedos cujas unhas estão pintadas de roxo.

— Cíntia, depois de quanto tempo ignorando uma mensagem recebida faz parecer que é proposital? — questiono de supetão, fazendo minha assistente dar meia-volta, movimento que faz seus cachos balançarem como roupa no varal em dia de ventania.

— Duas, três horas, no máximo — responde ela, sem piscar. — Gente normal, no caso. Mas sendo o destinatário da mensagem um médico, a tolerância acaba sendo bem maior.

— Jura?

— Lógico! As pessoas acham que vocês nunca têm tempo para nada, que passam o dia abrindo, consertando e costurando o corpo dos outros. Mas nós, que somos chegados, que vivemos o dia a dia, sabemos que não é exatamente assim. Mas a fama ajuda. Até eu aproveito.

Eu me esforço para não rir. Cíntia explica com tanta naturalidade, que nem se incomoda com o absurdo que acabou de dizer.

O melhor dos imprevistos

— Está duvidando de mim? Pergunte para o meu namorado. Quando ele fica nervoso porque eu custei a responder a uma mensagem, digo que estava agarrada ao bloco cirúrgico com a doutora.

Franzo a testa.

— Mesmo que eu nunca vá ao bloco.

— Ah, bom! Eu já ia comentar esse disparate.

— Mas cola. Então... — Ela joga os cabelos para trás. — Mais alguma coisa, doutora?

— Não. Pode ir almoçar. Também sairei daqui a pouco.

— Paciente às duas, hein!

— Sim, chefe!

Quis saber a opinião de Cíntia porque Gabriela me mandou uma mensagem bem cedo, no começo da manhã, e estou enrolando para respondê-la até agora. Não abri a mensagem para não acusar a leitura, mas imagino por alto o que está escrito. Já se passaram muitas horas, então não poderei adiar o retorno por mais tempo. Gabriela vai pensar que a estou ignorando. E estou mesmo. Tenho consciência plena de que estou postergando o inadiável, porém ainda não criei coragem.

Abro o aplicativo de mensagens com os dedos trêmulos. Minha prima quer que eu conheça o apartamento dela e leve Giovana para nadar na piscina do condomínio. Não preciso ter poderes mediúnicos para adivinhar que eu encontraria esse tipo de proposta, não é mesmo? Gabriela é muito simpática e amigável, além de nova na cidade. Muito natural desejar estabelecer uma relação próxima comigo.

Ah, se ela ao menos desconfiasse de tudo...

Eu mal consigo encará-la, sabendo o quanto serei odiada quando minha prima descobrir o que minha boca fechada escondeu durante esses anos todos. Digito rapidamente:

Oi, Gabi. Tudo bem? Está tudo corrido por aqui. Vamos deixar a visita para quando as coisas estiverem mais calmas? Beijos!

Ela não só visualiza a mensagem rapidamente, como a responde de imediato:

Mas você é enrolada, hein! Que seja então um café rápido qualquer dia desses. Ou um chope depois do trabalho. Que tal? Você arranja um tempinho aí e me avisa. Combinado?

Sou tentada a colocar só um joinha, mas algo me diz que seria o cúmulo do desinteresse. Digo que darei notícias em breve, sabendo que esse breve talvez se transforme em nunca, até que eu crie coragem para contar toda a verdade à Gabriela.

— Ah, minha nossa, caramba! — exclamo, dirigindo-me às paredes do consultório.

— Que foi? Cortou o dedo com papel?

O rosto regateiro de Lucas se infiltra pela porta entreaberta. Em seguida ele entra, caminhando direto para minha cadeira, onde se senta sem cerimônia. Ajeita o corpo para ficar bem confortável, pega minha caneta favorita e põe-se a rabiscar meu bloco de anotações.

— Fique à vontade — ironizo, acostumada com esse saco ambulante de descontração.

— Não se preocupe, já estou. — Lucas gira em torno dele mesmo, fazendo da minha cadeira caríssima um brinquedinho de parque. — Benjamim vai furar com a gente hoje. Juliano e Vicente já estão nos esperando. Vim te guinchar.

— O que houve com o Benja?

— Não contou. Só disse que precisava resolver uma urgência em Contagem ou Betim.

Retiro o jaleco, enquanto pego minha bolsa no armário.

— E que urgência será essa? — indago, curiosa.

— Uma rapidinha na hora do almoço com uma nova paquera?

— Lucas, você é horrível. — Lanço meu jaleco em cima dele, mas logo me arrependo, porque ele o intercepta no ar como se fosse uma bola de basquete. — Vai ficar todo amassado, José!

— José é o caramba! — Lucas finge estar irritado. — E por falar em caramba, por que flagrei você xingando quando cheguei? — ele questiona.

— O de sempre, né?

— Aquele tarado está incomodando você?

O melhor dos imprevistos

— Tarado? — Dou um sorriso, divertindo-me com o termo escolhido. Lucas sendo Lucas, aquele que alivia o clima sem esforço, sempre.

— E não é não? Um tarado que tocava bateria para arrasar corações e agora desfila por aí todo almofadinha, pelo que ouvi — define.

— Gostei da explicação, só não sei se condiz. Mas obrigada pelo apoio. E, não, você errou. Felizmente aquele sujeito anda quieto no canto dele.

— Correção: tarado e covarde. Muito digno mesmo deixar a batata quente para você segurar, Elza. Confortável demais ver a Giovana todos os dias na escola, dedicando a ela uma atençãozinha a mais.

Lucas sempre foi o mais divertido, o mais cuca fresca, o aparentemente mais inconsequente da nossa turma. Uma fachada que já tinha se desintegrado há muito tempo para nós, os amigos próximos. Quando muda a chave para o modo sério, contribui com sabedoria — e me emociona.

— E como você não o ameaçou, não prometeu contar tudo para a mulher dele, deve estar de boa lá com sua prima — finaliza, com ar de indignação.

— Sabia que a Gabriela me incomoda mais que o Felipe? Quero dizer, incomoda minha consciência.

— É claro! Sua prima, gente boa.

— E quer que sejamos amigas do peito.

— Sejam! Isso vai ser um ótimo castigo para aquele inútil.

— O problema, Lucas, é que quanto mais nos aproximamos, mais culpada me sinto.

— O jeito é abrir o jogo logo. Crie coragem, Elzinha. A consequência pode até ser ruim, no começo. Mas tenho certeza de que o alívio vai te fazer muito bem.

Meu telefone e o de Lucas sinalizam ao mesmo tempo a entrega de uma mensagem.

Vocês não vêm?, quer saber Juliano.

Elza, anda logo e vá buscar o sossegado. Estamos com fome!, escreve Vicente.

— Papai está nervoso — critica Lucas, fazendo cara de santo.

— Vamos. Nós não queremos piorar ainda mais o humor do papai ranzinza.

...

— Alguém sabe qual era a urgência de Benjamim?

Juliano e eu nos entreolhamos assim que Lucas lança a pergunta. Há poucos dias, voltamos a tocar nesse assunto. Perguntei se ele não se sentiria melhor abrindo o jogo com os meninos. Sua resposta foi taxativa. Benjamim não poderia sequer sonhar com a existência daquele sentimento. Ressaltei que me referia à sexualidade dele, não ao que sentia. Juliano concordou. Depois me bateu uma sensação de culpa. Pedi desculpas e prometi não agir mais daquela forma.

— Relaxa, Elzinha. Você está certa. Quando a oportunidade certa surgir, contarei a eles — foi o que me respondeu, por fim.

— Ou tem a ver com carro, ou com mulher ou com os dois — palpita Lucas, fazendo Vicente produzir um som que lembra uma risada. Lembra, mas também parece uma bufada. Tanto faz.

— Vocês vão pedir o quê? — atropelo a resposta de Lucas para evitar que o tema Benjamim se prolongue. É melhor que Juliano não se sinta desconfortável.

— O de sempre, uai. Quando é que variamos o cardápio? — diz Vicente, olhando para mim de um jeito desconfiado.

Retribuo seu olhar, mas não consigo sustentá-lo. Amanheci na casa de Vicente. Dormi na cama dele. Com Giovana. E ele passou a noite no quarto de hóspedes. Não era para ser algo impressionável, mas acordei meio embaraçada, não muito à vontade. Giovana tagarelou desde que pôs os pés para fora da cama, evitando, inconscientemente, um desconforto maior entre nós dois.

Espero que essa sensação esquisita passe logo. Acho que ficamos assim porque ele me contou sobre o término antes de dormir. Deve ser. Só pode.

E por lembrar disso...

O melhor dos imprevistos

— Cara, agora que você e a Maria terminaram, sugiro que seja mais descontraído. Com essa carranca, nem ela, que também não é das mais simpáticas, aguentou — zomba Lucas.

— Ha-ha. — Vicente retribui com uma risada falsa.

— Lucas, você precisa controlar essa sua necessidade de fazer piada sobre tudo — adverte Juliano.

— Só falta você, Elzinha. Esperando sua bronca também.

Prefiro ficar quieta a respeito desse assunto. Para não ter que falar, só mostro a língua para Lucas.

— Nós vamos conseguir ensaiar no fim de...

A dúvida de Juliano fica incompleta no ar, porque meu telefone toca. Vejo o nome de um colega antigo escrito na tela. Fizemos residência juntos. De vez em quando, nós trocamos ideias sobre a profissão e falamos a respeito da vida. Ainda assim, estranho a ligação a essa hora. Até porque ele faz parte de uma das equipes de socorristas da prefeitura. Em outras palavras, ele faz resgates na ambulância do SAMU.

Não tenho um bom pressentimento.

— Oi, Fernando.

— Elza, oi. — Meu sangue congela. Não sei o que ele vai me dizer, mas seu tom de voz prenuncia uma notícia ruim. — Sinto muito ligar assim. Houve um acidente aqui na Via Expressa, uma situação bem feia. Acabamos de socorrer um dos feridos.

Começo a sentir dificuldade para respirar. Puxo o ar com força, imaginando o desenrolar da conversa. Os meninos se assustam com meu estado e balbuciam perguntas que não tenho condições de compreender.

— Elza, acabamos de verificar os documentos dele. É seu amigo, o Benjamim.

— Ah! — Sufoco.

— O carro dele foi prensado entre duas carretas. Ele está vivo, mas a situação é grave.

Começo a chorar e alguém retira o telefone da minha mão, mantendo a conversa com Fernando.

147

— O que houve? — indaga Juliano.

— Elza, o que aconteceu? — questiona Lucas.

— Benjamim — sussurro. — Ele...

Vicente termina a ligação e informa:

— Ele sofreu um acidente. Está sendo levado às pressas para o hospital.

Ficamos em pé de supetão, todos, menos Juliano, que permanece sentado, a boca aberta, o olhar assustado.

Eu seguro a mão dele.

— Vamos pra lá — digo, tremendo, apavorada.

— Certeza de que o Benja está vivo? — indaga Lucas a Vicente.

— Sim. Mas é grave, gente.

Saímos do restaurante como se fôssemos formigas sem rumo. Nenhum de nós está bem, porém, Vicente, mais controlado, dá um jeito de ligar para a clínica e avisar que não voltaremos à tarde. Também chama um Uber, enquanto lidamos com o desespero, lutando contra o medo de perdermos nosso amigo.

Recuo da bateria

Hoje não consigo encontrar as palavras.

26

Anos antes, na faculdade

Benjamim ficava igual ao Músico de Bremen quando levava seu violão para a faculdade. Quem toca instrumentos musicais geralmente é uma pessoa agregadora. Refiro-me a quem faz isso em público sem ser necessariamente um músico famoso. Em todo colégio, em qualquer faculdade, sempre houve e eternamente haverá o tocador de violão, o gente boa, que faz a alegria da moçada nas horas de intervalo — inclusive durante as aulas também. Benjamim assumiu esse papel desde que começamos o curso, o que lhe caía muito bem.

Naquela época, ele usava os cabelos compridos, despenteados, caídos sobre o rosto bonito, escondendo seus brilhantes olhos azuis. Mas, de vez em quando, prendia-os num coque alto, sem a pretensão do estrategicamente calculado. Exibia com orgulho uma tranquilidade invejável, que não se abalava nem nos momentos mais tensos do curso, que não eram poucos. Apesar de seu jeito meio indiferente às preocupações do dia a dia, até os professores se encantavam por Benjamim, o rei da simpatia. Ele era descontraído, mas cumpria as obrigações exigidas pelas disciplinas e tirava notas boas.

Seu violão conhecia de cor canções de Renato Russo, Zé Ramalho, Belchior e mais uma porção de músicos brasileiros. Ele amava MPB, mas também arriscava outros gêneros para agradar a "plateia". Sempre que eu o via tocando, desacelerava os passos para apreciar. Ele acenava para mim, eu acenava para ele e depois seguia meu caminho. "Um dia vou tocar uma música para você e terá que ouvi-la até o fim", prometia, deixando-me desconcertada, já que por um instante todo mundo deixava de olhar para ele e passava a prestar atenção em mim.

Promessa que foi cumprida muito tempo depois, numa tarde após as provas finais. Estava distraída, discutindo com Juliano, Vicente, Lucas e mais duas colegas sobre as respostas que demos, quando Benjamim me chamou:

— Elza não é um nome, é poesia pronta. É um zumbido no silêncio, é signo do zodíaco, é zelo, zanga e zoeira.

Lucas aproximou a boca do meu ouvido.

— Esse cara bebeu — afirmou. — Abriu o dicionário no Z. Que doideira é essa?

Eu estava envergonhada demais para achar graça.

— Escuta essa, de Elza para Elza.

Benjamim gastou um instante tirando notas musicais das cordas do violão e em seguida cantou:

Você foi um boato
Só agora eu sei
Em quem acreditei
Andou de boca em boca
No meu coração
Até que um dia
Desmentiu minha ilusão
Você foi a mentira
Que deixou saudade
Todo boato
Tem um fundo de verdade[13]

---

13 "Boato", composição de João Roberto Kelly e interpretada por Elza Soares.

O melhor dos imprevistos

— Parabéns pelo nome — terminou assim, a cereja do bolo do embaraço.

— Não me chamo Elza por causa dela. — Eu vivia repetindo isso, como se meus pais fossem proibidos de ter outro motivo que não a existência de Elza Soares para escolherem esse nome.

— Não importa. Elza lembra rainha de qualquer jeito.

Depois dessa, todo mundo bateu palmas e assoviou, enquanto eu lidava com a vergonha que fez meu rosto pegar fogo.

Desse dia em diante, sem pedir licença, Benjamim passou a ser presença confirmada no meio de nós quatro. Foi assim que passamos a ser os cinco.

Benjamim chegou com vida ao hospital, mas muito debilitado, sendo levado direto para o bloco cirúrgico. Por isso, não conseguimos vê-lo antes, tampouco obtivemos muitas informações sobre seu estado, tamanha a urgência da situação. Não adiantava sermos médicos, porque não poderíamos fazer nada além de esperar e torcer para que nosso amigo ficasse bem. Não trabalhávamos naquele hospital, portanto éramos as pessoas próximas à vítima, o outro lado do processo, aqueles que viviam os piores momentos, enquanto esperavam que os especialistas fizessem seu trabalho.

Cada um de nós teve seu próprio jeito de reagir ao choque e ao medo.

Lucas permanecia imóvel, de pé, recostado a uma parede, os olhos tão arregalados que pouco faltava para que saltassem de seu rosto.

Juliano andava de um lado para o outro no corredor, consultando as horas a cada minuto. Estava mais pálido que de costume.

Aparentemente, Vicente estava calmo. Foi ele quem entrou em contato com os pais de Benjamim e explicou tudo. A fachada parecia inabalável, mas eu desconfiava de que ele mal conseguia se aguentar por dentro. Quanto a mim... Passei cada minuto daquela espera interminável alternando entre acreditar que tudo acabaria

O melhor dos imprevistos

bem e pensar no pior. Quando se é médico, as horas passadas dentro do bloco cirúrgico parecem andar mais depressa do que para quem está do lado de fora, ansiando por notícias.

O céu já tinha escurecido quando o médico responsável pela cirurgia de Benjamim nos abordou. Ele explicou que nosso amigo havia escapado da morte por pouco, porque sofreu diversos traumas pelo corpo, felizmente sem danos cerebrais.

— Ele está sedado e passará as próximas horas na Unidade de Tratamento Intensivo para monitoramento e precaução — disse. — Só amanhã conseguiremos dar um panorama mais específico, mas, aparentemente, ele reagiu bem. Como médicos, vocês já sabem que o que resta é esperar.

Não sou boa para lidar com doenças e casos que sugerem risco de morte de pessoas próximas a mim. Fico muito abalada.

Meu avô paterno teve uma doença degenerativa. Eu era apenas uma criança, não sabia por que ele nunca saía da cama, e ninguém se dava o trabalho de explicar. Aos domingos, meu pai tinha o costume de me levar para visitá-lo. Chegava de mansinho, me esgueirando pelos cômodos da casa, fazendo hora até alcançar, inevitavelmente, o quarto onde vovô convalescia. Eu sentia medo. Naquele tempo, pensava que era medo dele, mas estava enganada. Mais tarde, entendi que temia a morte, que se fazia presente naquele quarto.

Quando vovô me via, ele fazia um gesto lento com os dedos para que me aproximasse da cama. Só eu tinha ideia do quanto aquilo me assustava. Ele batia carinhosamente no meu rosto, dizia que eu estava bonita e que no armário da cozinha havia biscoitos que ele tinha pedido a alguém para comprar só para mim. "Ninguém pode comer os biscoitos da Elzinha", avisava. E ainda que meu avô permanecesse sempre no quarto, preservava sua autoridade dentro daquela casa.

A morte é estranha, mais ainda quando ronda pessoas que amamos. Eu me formei em medicina. Fui preparada para compreender que, apesar de todas as possibilidades proporcionadas pela ciência, não há como deter a morte.

153

— Tome.

Minhas reflexões se dissipam assim que sinto o cheiro inconfundível de café quentinho. Aceito o copo de plástico oferecido por Juliano.

— Obrigada.

— É de máquina, então...

— Tá quente! — lamurio, depois de queimar o lábio inferior, como sempre.

Nós dois não falamos muito enquanto bebericamos o café. Mastigo a pele que se solta por dentro da minha boca sapecada pela bebida, uma mania ruim da qual não consigo me desapegar.

— E a Gio? — pergunta ele. Juliano pega o copo vazio da minha mão e o joga no lixo, junto com o dele. Não perde a gentileza nem em momentos tensos como agora.

— Está em casa com a Mirtes.

— Você contou para ela que...

— Não. — Suspiro. — Ainda não.

Juliano assente. Está abatido e apático.

Desde que o médico explicou a situação de Benjamim ao final da cirurgia, já deveríamos ter ido para casa, afinal não há nada que possamos fazer além de esperar até amanhã. Mas nenhum de nós dá o primeiro passo, mesmo cientes de que teremos que sair do hospital a qualquer momento.

Juliano e eu nos restringimos a trocar algumas frases sobre Giovana, porque não temos energia para qualquer outro assunto. Então, Lucas e Vicente se juntam a nós.

— Benjamim vai sair dessa — garante Lucas, tentando imprimir um pouco de ânimo ao tom de voz. — Ele é forte e nunca desistiu de nada.

Isso é verdade. "Desistir" não consta no dicionário de Benja.

— Vocês se lembram daquele professor que questionava a vocação de Benjamim para a medicina? — Vicente resgata uma história que era deliberadamente usada contra nosso amigo quando queríamos pegar no pé dele durante os anos de faculdade.

— Doutor Barroso. Carlos Barroso — digo.

Esse professor costumava afirmar diante da turma toda que Benjamim era da música, não da medicina.

— Benjamim ficava puto, mas não retrucava. Só ria e repetia, "o senhor vai ver, o senhor vai ver" — Lucas o imita, copiando não só a fala, mas também o jeito como ele mexia o corpo para responder ao nosso professor.

— Temos que lembrar de convidar o Doutor Carlos Barroso para conhecer a clínica — sugiro, maldosamente. Quero que aquele que duvidou de Benjamim veja com os próprios olhos aonde ele chegou.

— E para uma apresentação do "Fundo de Hospital" — completa, Lucas. — Doutor Barroso vai finalmente engolir aquele mau agouro.

Rimos, os quatro, e dos risos passamos às lágrimas. Juliano e eu deixamos a emoção aflorar de maneira mais explícita, enquanto Lucas e Vicente dão uma disfarçada.

— A gente precisa ir. — Vicente só verbaliza o que ninguém ousou dizer antes. — Não podemos passar a noite aqui.

— Vocês podem ir. Vou ficar para o caso de os pais dele chegarem.

Entendo a decisão de Juliano e não me oponho, apesar de saber que ele passará a noite sentado numa cadeira desconfortável, sobrevivendo à base de cafeína.

Vicente começa a argumentar, mas toco no ombro dele e balanço a cabeça. Ele se cala.

— Posso passar na sua casa e pegar qualquer coisa de que precise, Juliano — ofereço.

— Não, Elzinha. Obrigado. Não preciso de nada, não.

Sim, ele precisa. Precisa que Benjamim se recupere e volte a ser como sempre foi. Nós quatro precisamos muito disso.

Juliano

Não estou sofrendo mais do que ninguém. Embora Elza tenha passado o dia inteiro lançando olhares disfarçados para mim, tentando se certificar de que eu não ia desmoronar, meu sofrimento é igual ao dos outros. Somos unidos por um laço de amizade muito mais forte do que qualquer outro sentimento, porque nessa amizade estão reunidos todos os sentimentos, tudo ao mesmo tempo.

Mas não nego que estou apavorado. Em certas circunstâncias, a ignorância é uma dádiva. Não conhecer a fundo a situação de um paciente evita um pouco de sofrimento — ou bastante. Como médico, eu me pego conjecturando todas as consequências dos traumas sofridos por Benjamim. De nada adianta pensar tanto, mas tampouco consigo espantar esses pensamentos.

Caminho um pouco e paro na frente da divisória de vidro, por onde consigo ver Benjamim. Estreito os olhos, tentando ler seus sinais vitais apontados pelo monitor. Inútil. O alcance da minha visão não é tão bom assim.

Benjamim está lá deitado, e eu aqui fora, me pondo a refletir por que me apaixonei por ele. Não foi algo que ocorreu da noite para o dia. Disso eu estou certo. Quando nos conhecemos, na faculdade, ainda não tinha me dado conta da minha sexualidade. Sempre fui um sujeito calmo, sem arroubos sentimentais. Acreditava que nunca ter gostado de nenhuma menina era sinal de que colocava outras questões na frente da paixão, como os estudos.

A amizade entre nós cinco, pessoas tão diferentes umas das outras, supriu uma carência que eu nem sabia que vivia dentro de mim, que era estabelecer relações fortes e duradouras com alguém.

O processo de gostar de Benjamim, ou melhor, de compreender os sentimentos diferentes por ele, foi lento e gradativo. Não acordei um dia qualquer certo de que o amava para além da nossa amizade. Fui notando isso aos poucos, ao mesmo tempo que me conhecia melhor.

Quando dei por mim, já era tarde. Desde então, tenho travado uma luta violenta comigo mesmo. É muito foda se apaixonar por um amigo.

...

Vicente

Além do susto e da preocupação com Benjamim, há algo a mais suspenso no ar. Os olhares disfarçados trocados entre Elza e Juliano só são discretos na imaginação deles. Eu notei e talvez até Lucas, mas não perguntei nada.

Apesar de sermos cinco amigos, todos íntimos e próximos, a mecânica das relações funciona sem regras ou quaisquer cobranças. Não existe um pacto que nos obriga a dizer tudo para todos. Somos abertos e não fazemos cobranças. Acho que é por isso que funcionamos tão bem.

Mesmo assim, aquelas trocas de olhares me deixaram curioso. Durante todo o dia, era como se Elza estivesse dando um apoio adicional a Juliano. Não sei... Achei curioso como parecia que ela estava tentando lhe dar uma dose adicional de conforto.

Eu falo pouco, mas sou observador demais, embora não interfira na vida de ninguém. Seja lá o que for, eles que decidem se compartilham ou não. Se bem que, se Lucas também percebeu, vai deixar a suspeita bem clara.

Veremos.

É madrugada de segunda para terça-feira. Embora tenha sido um dia estressante e meu corpo esteja exausto, não consigo pregar os olhos. Rolei tanto na cama que acabei vindo me sentar na varanda, enquanto tomo uma dose de uísque. A noite está bonita. Nem parece que o céu pode ruir sobre nossas cabeças a qualquer momento.

Essas horas na UTI são fundamentais para a recuperação de Benjamim. É tudo muito incerto. Não consigo ignorar os riscos que ele ainda corre, nem mesmo pensando como amigo e não como médico.

Minha cabeça começa a sentir os efeitos letárgicos da bebida. Volto para a cama e me jogo sobre ela. Acabo de me lembrar por que não consegui dormir antes. Além da preocupação com Benjamim, os travesseiros e o lençol estão totalmente impregnados com o cheiro de Elza.

Lucas

Tenho medo de que o Benja não se recupere completamente. A verdade é que o cara não merece isso que está passando. Bom, esse negócio de merecer ou não é só um jeito de colocar as coisas. Ninguém merece. Mas Benjamim...

Ele é a pessoa mais tranquila que conheço. Não um tranquilo bondoso, como Juliano. Tranquilo "da paz". Só quem o conhece há mais tempo é capaz de compreender essa comparação.

Ele usava os cabelos compridos, sem o menor estilo, e tocava aquele violão velho, cantando músicas "mela-cueca". Perto da nossa formatura, Benjamim surpreendeu todo mundo cortando a cabeleira. Foi uma revolução. Muita gente teve dificuldade para reconhecê-lo.

Doutor Benjamim de Oliveira.

Neurologista.

Nosso amigo.

28

𝐵𝑒𝑚 𝑐𝑒𝑑𝑖𝑛ℎ𝑜, 𝑎𝑛𝑡𝑒𝑠 𝑑𝑎𝑠 𝑠𝑒𝑖𝑠 𝑑𝑎 𝑚𝑎𝑛ℎã, 𝐽𝑢𝑙𝑖𝑎𝑛𝑜 𝑚𝑎𝑛𝑑𝑜𝑢 notícias de Benjamim. Ele tinha acabado de ser retirado da sedação e respirava sem ajuda mecânica. Estava consciente, apesar de lento e pouco comunicativo, o que era bastante normal diante de tudo.

Não preguei os olhos durante a noite inteira. Em vez disso, já que não podia dormir, ouvi música, muita música, bem baixinho, procurando me concentrar nas letras. Não vivo só de samba, embora o estilo esteja entre os meus favoritos — top três, com certeza. Enquanto os instantes da noite se esvaíam lentamente, revisitei muitos gêneros e cantores que ajudaram a formar meu gosto musical.

Antes disso, tive que passar pelo interrogatório de Giovana, que queria saber o que de fato havia acontecido, já que Mirtes não explicou muito. Nem eu. Não sou a favor de relatar detalhes de más notícias para crianças. Resumi muito sucintamente e a fiz acreditar que o tio Benja ficará bom logo. Agora de manhã, depois do relatório de Juliano, começo a acreditar que sim.

Estou quase pronta para voltar ao hospital, deixando o dia de Giovana praticamente todo organizado, quando recebo uma ligação de Gabriela. Nossa. Eu tinha apagado minha prima da memória desde que Benjamim se acidentou.

E o que ela quer comigo às sete da manhã?!

— Oi, Gabi.

— Elzinha, olá! — Sempre tão entusiasmada. Não sei se isso é bom ou simplesmente irritante (ou só eu mesmo sem muito humor). — É muito cedo, mas médicos pulam da cama com as galinhas, que eu sei. — E ri, toda fofa. Na verdade, tenho vontade de apertá-la e receber uma carga dessa energia.

— Vamos dar uma caminhada juntas mais tarde? — sugere. — Se você tiver um tempinho, claro.

Sim, ela é fofa mesmo.

Conto para Gabriela sobre o acidente e que vou me revezar entre o hospital e alguns pacientes que não posso desmarcar. Concluindo: não terei tempo para coisa alguma. Sinceramente, nem cabeça.

Ela fica chocada e não esconde a preocupação com Benjamim. Faz poucas perguntas, especula nada. Isso só me faz ter mais certeza de que Gabriela é uma pessoa boa de verdade.

— Deixa eu pegar a Giovana na escola para você, então? — oferece-se ela, transmitindo a melhor das intenções.

Chego a engasgar.

— Não tem necessidade, Gabi. — Explico que Mirtes fará isso.

— Boba, pensa bem. Estou doida para passar um tempinho com a Gio. Assim você fica despreocupada, caso dê o horário de a Mirtes ir embora.

Não sei o que dizer. Está difícil me esquivar. O pior é que Gabriela tem razão sobre Mirtes. Preferiria que ela fosse para casa hoje, ainda que garanta que está à disposição. Sei disso, é claro. Mas não é justo que eu ocupe tanto seu tempo assim.

— Gabi, eu não sei... — reluto.

— Olha, se for para você se sentir mais tranquila, pego a Giovana na escola e a levo direto para seu apartamento. Para você é melhor assim?

— Nesse caso...

— Ótimo. Cuidarei dela direitinho, Elzinha.

Ela desliga depressa, imaginando que eu possa mudar de ideia.

O melhor dos imprevistos

Todas as vezes que falo com Gabriela, tenho a sensação de que fui apanhada de surpresa por um furacão. Furacão Gabriela.

Gabriela

Felipe ficou todo estranho quando contei que buscaria Giovana na escola. Ele estava preparado para vir com teorias, mas não lhe dei esse espaço. Não fui enganada ao me casar com alguém que não queria ter filhos. Eu sabia disso ao dizer "sim". Mas não paparicar uma criança, a filha de uma prima, não fazia parte desse acordo.

Nem passei no escritório dele quando fui à escola. Minha paciência com Felipe andava se esgotando rápido demais ultimamente. A professora do último horário já estava avisada de que eu, em vez de Mirtes, pegaria Giovana. Assim que me viu na porta da sala, percebi a mudança de comportamento da menina. Ela estufou o peito, chamando a atenção para o fato de outra pessoa estar à sua espera. "É a tia Gabi", eu a ouvi falando com uma colega.

Giovana é uma criança fácil de lidar. É atenta, gosta de falar, mas também é boa de ouvir. O trajeto até o apartamento onde ela e a mãe moram fluiu sem estresse, já que fomos tagarelando, emendando um assunto em outro, como se nos conhecêssemos desde sempre.

Em casa, ela executou os protocolos de Elza sem que eu precisasse alertá-la. Obediente, seguiu direto para o banho, enquanto fui preparar algo na cozinha. Mas nem precisei. Mirtes tinha deixado tudo pronto, inclusive a mesa posta. Fiquei admirada em como a casa parecia funcionar bem. Mãe e filha tinham uma rotina assimilada. Foi o que constatei já nos primeiros minutos no ambiente delas.

Sem função, passeei pela sala, observando as fotos ostentadas em porta-retratos bonitos. A maioria era de Giovana, de bebê até agora, mas também havia muitas dos amigos de Elza.

Quando ela engravidou, imaginei que um dos quatro fosse o pai. Não me julguem, porque não fui a única a pensar assim. Por fim, nunca soubemos quem de fato é, mas parece que ele não fez falta. Bom, talvez para Giovana, sim. A família da propaganda de margarina ainda é tradicionalmente forte. As crianças, repetindo os comportamentos dos adultos, costumam ressaltar a ausência de uma das partes. Acredito que Giovana sofra algum tipo de pressão.

Sinto o cheiro de sabonete antes que ela apareça na sala. Logo em seguida chega ela, vestindo um pijama com estampas de carneiros dormindo sobre nuvens. As pontas dos cabelos estão molhadas.

— Escapuliu da touca — explica, apontando para os cachinhos, antes que eu tenha tempo de perguntar.

— Acontece sempre — respondo com seriedade, para ser solidária. — Está com fome, meu anjo?

— Só um pouquinho. — E junta um dedo no outro, ilustrando a fala.

Comento que há comida demais e que podemos comer até estufar a barriga. Parece que não, mas sei me comunicar bem com crianças.

— Na roça do meu bisavô, a gente come o dia inteiro. A bisavó cozinha tudo tão gostoso.

— Ah, então você não sabe? Eles são meus avós também.

Uma ruguinha se junta na testa lisa de Giovana. Tenho certeza de que as engrenagens do seu cérebro estão calculando a informação.

— Sou prima da sua mãe, esqueceu?

— Mas por que vocês têm a mesma vovó e o mesmo vovô?

Crianças sempre fazem confusão com as relações familiares. Eu me lembro de não entender por que minhas primas eram como irmãs para mim, mas cada uma tinha seus próprios pais, em vez de serem também filhas dos meus.

— Sua avó Bete é irmã da minha mãe, a tia Maza. E as duas são filhas da bisa Margarida.

— Ahhhhh! — exclama Giovana, dando a impressão de que entendeu nossa complexa árvore genealógica. Tenho minhas dúvidas.

Enquanto come um pão com manteiga — bastante farto para quem disse estar com pouca fome —, Giovana narra os acontecimentos do fim de semana no sítio. Junto com suas histórias, eu me transporto para aquele lugar, onde passei momentos muito felizes da minha vida.

O relacionamento entre as primas era o recheio do maravilhoso bolo, o sítio dos nossos avós. Havia alguns primos também, mas nós, as meninas, costumávamos excluí-los porque éramos várias e muito unidas.

— Sua mãe é um pouco mais nova do que a maioria, então, de vez em quando, a gente a deixava de lado, porque crianças gostam de implicar umas com as outras — conto, adorando a visita ao passado.

— Isso é exclusão, não sabia, tia? — Giovana retruca, e eu seguro o riso. — Na minha escola, tem gente que faz bullying. É horrível! Não importa se a pessoa é pequena ou grande, branca ou preta, nova ou velha, a gente tem que respeitar. Você não sabia?

Que vontade de apertar essa menina. Fico feliz que ela esteja crescendo com esse tipo de consciência. Mérito da mãe, imagino, mas também da escola, que deve mesmo exercer esse papel.

— Aprendi depois — me justifico. — E continue pensando assim. Você está certíssima.

De repente, ela esboça uma expressão triste. Surge um beicinho e o pão é deixado de lado.

— Alguns meninos da minha sala, Marcelo e Juninho, eles são chatos demais. Só eles. O resto é legal.

— É mesmo? Por quê? O que os dois fazem?

A resposta não é dada imediatamente. Antes Giovana toma um gole do suco.

— Eles falam que eu sou filha de ninguém, porque não tenho pai.

Ela me deixa sem palavras, não apenas pelo teor da declaração em si, que é chocante por si só. Mas o que mais me abalou foi o tom de voz triste, a dor da verdade se insinuando pelas entrelinhas da frase.

— Que maldade! — digo, apertando as mãozinhas dela, pousadas sobre a mesa. — Eles são dois bobos. Todo mundo é filho de alguém, Gio. Algumas pessoas só têm mãe, como você. Outras, apenas pai. Muitas não têm nenhum dos dois, mas vivem com alguém que as consideram como filhos. — Omito o fato de que existem aqueles que realmente não têm ninguém. Não é hora para essa conversa. — Não fique triste por causa desses meninos chatos — aconselho, desejando saber quem são os garotos e contar uma boa prosa para os pais deles. Deixa eu encontrar com Felipe mais tarde. — Aposto que eles não sabem o quanto você é sortuda por ter uma mãezona como a sua.

— E quatro tios superlegais — completa ela, recuperando o bom humor.

— Isso mesmo. Isso também é família, Gio, uma bem legal e amorosa. E agora você ganhou a tia aqui. — Faço sinal de "toca aqui". Giovana entende e bate a mão na minha.

— Acho que eles ficam com inveja porque minha mãe é cantora também — especula ela, com ares de conspiração.

— Ah, provavelmente. Uma mãe cantora não é para qualquer um.

O pão largado sobre o prato volta para a boca de Giovana, que o devora em instantes.

Entendo a melancolia dela ao verbalizar a inexistência do pai. De modo algum julgo as decisões de Elza, mas compreendo a decepção de Giovana, porque, infelizmente, até hoje o mundo prega e cobra determinados padrões. E aqueles que não se encaixam nesses modelos acabam virando alvo de dedos apontados e conversas sussurradas.

No meu caso, não ter filhos depois de anos de um casamento também me estereotipa. Obviamente, lido com essa categorização bem melhor do que uma criança. O que quero destacar é que falta muito, mas muito mesmo para nossa sociedade evoluir. Se os pequenos, ainda que sejam a minoria, despejam discursos intolerantes sobre os colegas, é porque copiam modelos dos adultos que os cercam, adultos esses que não veem o outro como pessoas livres, mas sim sujeitos que "ousaram" sair da linha, como um item rejeitado na linha de produção de uma fábrica qualquer.

— Todos os tios são mais ou menos meus pais — afirma, engolindo o último pedaço do pão. — Só que nenhum pode morar com a gente.

— Mas estão sempre com você, certo?

— É. O problema é que nenhum beija a minha mãe. Eles até podem ser tipo meus pais, mas não são tipo o marido da mamãe.

Ela salta da cadeira e se joga sobre o sofá da sala, deixando-me de boca aberta, chocada com a perspicácia dessa menina.

29

Encontro todo mundo no corredor, inclusive os pais de Benjamim, que cumprimento com abraços afetuosos. Um dos benefícios de cultivar longas e sinceras amizades é ganhar, por tabela, o carinho dos familiares também. Eles me atualizam rapidamente.

— Benjamim será transferido para um quarto daqui a pouco — diz a mãe, visivelmente abatida. Ela e o marido vieram do norte de Minas assim que receberam a notícia do acidente. Imagino que tenha sido a pior viagem da vida deles.

— A vida é muito imprevisível. A gente está tranquilo, fazendo praticamente tudo igual dia após dia, reclamando de besteiras, como o calor que faz, a chuva que cai em excesso, o café que ficou meio ralo, o cachorro do vizinho que late a madrugada inteira — filosofa o pai de Benjamim. — Até que o inesperado acontece.

Aperto o braço dele, como costumo fazer com meus pacientes mais sensíveis, porque a minha medicina não é alheia aos sentimentos.

— O pior já passou, Seu Bartô. Logo, logo o Benjamim estará como antes — asseguro, passando positividade tanto para ele quanto para mim mesma.

Vicente sinaliza discretamente para que me distancie do grupo. Não sei por quanto tempo ele tentou chamar minha atenção, mas percebi por puro acaso. A discrição é tanta que quase não ressalta. Vicente sendo Vicente. Eu o sigo até a curva do corredor, fora do campo de visão dos demais. Isso me deixa bem intrigada.

— Lucas e Juliano já sabem, mas os pais do Benjamim ainda não — fala e se cala.

Espero que ele continue, mas Vicente não prossegue.

— Sobre o quê? — questiono, nervosa.

— O Benja sofreu muitas fraturas, algumas bem sérias, Elza. Felizmente, a coluna vertebral ficou intacta. Mas vai levar um certo tempo até que ele volte a andar, segundo o ortopedista.

Coloco a mão sobre a boca, impactada demais.

— Quanto tempo? E por quê?

— Ainda é difícil prever, porque haverá outras cirurgias. Uma das pernas sofreu inúmeros traumas e três costelas estão quebradas. O tratamento parece ser um pouco longo.

Não consigo imaginar Benjamim longe do trabalho ou não podendo ser independente como ele gosta. Não é raro que ele suma em certos fins de semana para praticar esportes no meio da natureza, subindo e descendo montanhas, saltando em cachoeiras, coisas desse tipo.

— Não faça essa cara — pede Vicente. — Para começar, devemos nos sentir aliviados porque o Benja está vivo e aparentemente sem danos irreversíveis. Ele teve muita sorte.

Eu concordo. Antes de mais nada, nosso amigo foi poupado. Quando Fernando me contou os detalhes do acidente, fiquei em choque. A sobrevivência dele era quase milagrosa — ou totalmente.

— Desmancha essa ruga. — Vicente dá uma cutucada na minha testa. Um dedo, um instante, e eu não sei o que pensar. Desde que passei a noite na casa dele, na cama dele, tem sido um pouco estranho entre nós.

Impressão minha ou não, só sei que ele logo trata de desviar o foco da nossa esquisitice. Pergunta sobre Giovana e conto o que acabei combinando com Gabriela. Como sempre, Vicente quase não esboça reação alguma. Ele me escuta com a atenção característica

O melhor dos imprevistos

da personalidade dele, mas não intercala minha explicação com comentários próprios.

Porém, por fim, diz:

— Você não fez nada de errado. Vai saber a hora certa de contar a verdade para a sua prima. E, quando acontecer, tenho certeza de que será menos traumático do que imagina.

— Como pode ser tão assertivo assim?

— Eu trabalho com fatos — responde, meio brincalhão.

A gente se entreolha um pouco mais demorado que de costume, até que Lucas e Juliano aparecem, desfazendo o instante.

...

Quase todas as pessoas que conheço vivem intercalando a torcida para que o tempo voe e para que ande o mais devagar possível. Quando estamos na expectativa por algo bom, não suportamos esperar. Se pudéssemos, nós mesmos empurraríamos as horas adiante, apressadamente.

Por outro lado, se existe alguma coisa acenando do futuro que não estamos muito dispostos a enfrentar, imploramos ao tempo que desacelere, de modo que ele custe a passar.

Nós também pedimos para o tempo voar quando o momento não anda bom e para pausar se o que vivemos é especial. Vai, tempo. Para, tempo. Como no samba de Leny Andrade:[14]

Tempo tem de guerra e paz
e tem tempo que é pra frente e tempo que é pra trás
que é tempo de saudade, tempo que faz mal
Tem tempo do presente, tempo sideral
tem tempo de pressão, tem tempo liberal

---

14 "Tempo de abertura", composição de Marcos Vasconcellos e Pingarrilho, e interpretada por Leny Andrade.

Passei os últimos dias dividida entre a velocidade do tempo. Baixa ou alta?

Pensando na recuperação de Benjamim, tudo o que eu mais queria era que ele ficasse bom logo. Mas estavam sendo longos dias de muitas ações e expectativas.

Ele precisou voltar para o bloco cirúrgico outras duas vezes e, nesse meio-tempo, começou com as sessões de fisioterapia. A mãe dele ficou em Belo Horizonte para ajudar, embora Benjamim tenha dito insistentemente que não era necessário. Perdeu feio, pois a teimosia boba foi seu único "argumento". Nós quatro também nos prontificamos a apoiá-lo sempre e, mesmo que nossas rotinas sejam insanas, nenhum de nós pulou do navio. Jamais fomos amigos superficiais. Um sempre esteve disponível pelo outro.

Mas, durante esse processo, por mais que eu desejasse tanto que os dias voassem para que Benjamim finalmente voltasse à rotina, em contrapartida, cada dia novo vinha com um aviso de que estava esticando o tempo como se ele fosse um elástico. Deixar de contar a verdade para Gabriela acabaria arrebentando esse elástico. Para as roupas, isso é fatal. Na vida, não é muito diferente.

Tanta indecisão me obrigou a tomar uma atitude. Não foi um gesto grandioso nem nada, apenas estipulei um prazo para me abrir com minha prima, que, à medida que o tempo passava, mais querida se tornava para Giovana e para mim. Não marquei a data no calendário nem nada assim, mas a ideia de que o dia acabaria chegando me deixou ainda mais apreensiva.

Felipe, por sua vez, permanecia manso. Aproveitava o espaço do colégio para se aproximar de Giovana, ganhando a simpatia dela com elogios ao seu desempenho, enquanto estudante.

Penso em tudo isso, enquanto bebo meu café aqui no terraço da clínica, expandindo um pouco minha visão. São tantas horas enfurnada dentro do consultório, que meus olhos têm dificuldade de se acostumar com a luz natural do dia. É para cá que fujo todas as vezes que me descubro engaiolada — pelas paredes do consultório e pelas preocupações que me afligem.

Sinto saudade da época em que estudava medicina. Apesar de terem sido anos muito duros — fui uma aluna dedicada e bastante suscetível aos altos e baixos do curso —, eu me diverti bastante.

O café acaba, mas deixa sua marca diária em meu lábio inferior. Anos de experiência não me transformaram numa pessoa prevenida. Talvez seja viciada em mastigar a pele fininha que se solta, isso me ajuda a pensar. Estranho, mas produtivo.

Do bolso do meu jaleco, o celular treme. Ele sempre fica no silencioso, enquanto trabalho, mas mantenho o modo vibração. Quem tem filhos jamais se desliga completamente do mundo lá fora. Existem inúmeros "e se".

Estou procurando você. É uma mensagem de Vicente, só para mim. Não foi enviada no grupo. Isso não é uma atitude incomum, pois não existe uma lei que nos obrigue a compartilhar tudo entre nós. Somos curiosos, mas respeitamos o espaço de cada um — ou a gente finge bem.

Ainda assim, essa minúscula sentença de três palavras provoca uma reação esquisita em mim. Deliberadamente, sigo ignorando o recente "Efeito Vicente", como um paciente relapso que evita os sinais de alguma disfunção no organismo apenas para não ter que lidar com ela. Agora sou eu fazendo o oposto do que prego. Eu me defendo com a máxima de que médico também é gente. (Bom, alguns não muito.)

No terraço. Envio de volta, o coração um pouquinho mais acelerado que de costume.

Me espera.

Tum, tum, tum!

Faço um exercício de respiração para controlar meus batimentos antes da chegada de Vicente, que não demora. Ele passa pela porta corta-fogo com dois copos de café nas mãos.

Balanço o meu, vazio. Mas não rejeito o que Vicente me oferece.

— Estou sempre disposta para um café — emendo.

— Este é descafeinado.

Levanto uma das sobrancelhas, esperando que se explique.

— Não foi difícil adivinhar que estava aqui com seu infalível café pelando. Pedi um descafeinado para evitar que você ande por aí dando choque igual enguia.

— Muito engraçado.

Sou irônica, mas eu rio e Vicente também.

— Está tudo bem? — pergunta, o olhar focado no mar de prédios que refletem a luz do sol.

— Sim.

— Você está mentindo — acusa, mas ainda não me encara.

— Não. Não estaria bem se o estado do Benja não estivesse progredindo, se Giovana estivesse doente, ou meus pais.

Vicente não diz nada, como de costume. Precisa dar trabalho para o cérebro, antes.

— Pergunto se está bem por dentro. Essas coisas todas eu já sei.

Quem o encara sou eu, surpresa. Ele retribui meu olhar.

Há um ar tão intenso de preocupação transmitido pelos olhos de Vicente, que eu me abalo. A consequência é chocante para nós dois. Caio em prantos e ele me abraça forte, sem titubear por sequer um instante. Não é um choro fraquinho nem bonito. É aguaceiro de torneira aberta, água que molha rosto, camisa e alma.

Quanto mais choro, mais ele me aperta entre seus braços — os copos de café esquecidos sobre o guarda-corpo —, e eu me permito ser estreitada assim, a ponto de não conseguir me mover, e não incomoda. Pelo contrário, é conforto puro. Uma de suas mãos acaricia meus cabelos, enquanto a outra tamborila nas minhas costas, suavemente, como um músico que ensaia por instinto e não de fato. Poderia viver nesse aconchego.

Arregalo os olhos e me afasto tão logo essa ideia passa por minha cabeça. O que foi isso?

— Não sei o que deu em mim — digo, enxugando as lágrimas com o dorso das mãos.

— Você precisa parar de lutar contra você mesma, Elza. — Não sei quantos sentidos essa frase tem, mas sinto que há muito mais que o óbvio entre as palavras de Vicente.

O melhor dos imprevistos

— Não luto contra mim...

— Luta. Se forçar para ficar bem é uma das batalhas mais pesadas que a gente trava. Você faz isso o tempo todo.

Abaixo a cabeça, as lágrimas querendo escorrer de novo. Vicente segura meu rosto com carinho.

— Eu sei que você é superforte, Elzinha, muito mais do que nós todos, os caras e eu, quero dizer.

O polegar dele passeia devagar por meu queixo. Em vez de chorar, de repente sinto outro tipo de urgência. Serei obrigada a pensar nisso mais tarde.

— Mas não precisa se cobrar tanto. Tudo o que você tem feito ao longo da sua vida é admirável. — Vicente fica um pouco mais intenso. — Eu te admiro demais.

— Obrigada — murmuro; com o coração aos pulos, minhocas na cabeça.

Meu celular chama de novo, mas agora é Cíntia, avisando que minha paciente acaba de chegar.

— Hora de trabalhar. — Balanço o telefone perto do rosto de Vicente. — Estou um pouco envergonhada. — Aponto para o jaleco dele, que tem uma bola de lágrimas pouco abaixo do ombro esquerdo. — Mas me sinto bem melhor.

— Elza. — Acho que meu nome nunca foi pronunciado assim por ninguém, de um jeito meio quente, como se a palavra tivesse temperatura própria. — Tire um tempinho para mim qualquer dia desses.

Faço cara de desentendida, porque não entendi mesmo. Ainda estou elaborando o calor repentino do meu nome.

— Preciso te falar uma coisa.

— Ué, só dizer.

— Outra hora. Você me diz quando.

Sei que num futuro próximo vou conseguir compreender melhor a oportunidade que Vicente está me dando de decidir o momento. Mas, agora, sou pura curiosidade e vontade de sacudi-lo por me deixar assim.

...

Recuo da bateria

Sabe por que escondi meus sentimentos de Elza até hoje e só agora entendi que não posso mais guardá-los apenas para mim? Escondi por covardia, por medo de ser rejeitado e perder também a amizade dela. Quero desabafar porque o acidente de Benjamim me fez abrir os olhos para a efemeridade da vida.

Entre me acovardar e arriscar, melhor seguir o que diz meu coração, ainda mais que estou solteiro de novo. Não namorei Maria para fingir que não amava Elza. Eu simplesmente estava certo de que viveria eternamente guardando esse segredo. Não gostei menos de Maria por isso.

É que sempre amei Elza demais.

Quando eu contar a verdade para ela, posso acabar arruinando tudo. Porém, pressinto que Elza não está completamente alheia, pelo menos desde o dia em que ela dormiu no meu apartamento. Há algo diferente entre nós, certos melindres que jamais existiram até então.

Foi por isso que larguei na mão dela a iniciativa de me chamar quando quiser saber o que tenho a dizer. Reconheço que não foi um gesto nobre da minha parte, só pensei que talvez fosse um pouco mais justo com ela. Certamente, Elza vai chegar perto da verdade antes mesmo de ouvi-la. Mas escutará minha declaração somente se desejar.

Se bem que, se ela se esquivar demais, direi assim mesmo.

Dois especialistas em guardar segredos já são demais.

30

O acidente de Benjamim desencadeou, pelo menos, duas grandes revelações:

1) Os sentimentos de Juliano por ele eram mais fortes do que eu pensava.

2) Benjamim, assim que percebeu que estava mais forte, tratou de valorizar a retomada da independência ao estilo de "curtindo a vida adoidado" — em termos, porque ainda havia algumas ressalvas como, por exemplo, pular de paraquedas ou escalar um paredão na Chapada Diamantina.

Claro que a rasteira que Benjamim deu na morte era motivo de muita alegria para todos nós. Estávamos imensamente gratos. Com as esperanças renovadas, uma sensação de otimismo contagiou o grupo inteiro.

Não sei como funciona muito bem gostar de alguém e não haver reciprocidade, mas fui acompanhando Juliano murchar pouco a pouco. Amor não correspondido é uma merda, mais ainda quando escondido de forma tão hermética.

Era isso que eu estava aprendendo ao observar o comportamento do querido Juliano. Queria fazer alguma coisa por meu amigo, só não sabia o quê.

Ai! Como dói a dor
Como dói a dor de amor
Quem se desencantou
Soube o que é chorar
Nesse mundo não tem professor
Pra matéria do amor ensinar
Nem tão pouco se encontra doutor
Dor de amor é difícil curar[15]

Beth Carvalho, assim como outros artistas, transformou a dor do amor em samba. Uma tristeza cantada com animação. Afinal, não é assim a vida? A gente tomba, e cai, e levanta, e se vira, e vai vivendo.

Com a melhora gradual de Benjamim, cujo quadro tem evoluído bem mais rápido do que o previsto, ele tem, aos poucos, retomado as atividades de sempre, como os leves passeios de fim de semana em paraísos ecológicos sem a companhia de um cuidador (mãe ou um de nós) e os atendimentos no consultório.

Dia desses, recostada no peito de Benjamim, enquanto ele lhe contava uma história, Giovana tocou numa das cicatrizes espalhadas pela perna dele e perguntou se não era ruim ter tanta marca no corpo.

— Que nada, Gio! Toda vez que olho para elas, lembro que estou vivo e isso é fantástico. Fiquei um pouco mais charmoso também.

Tanto entusiasmo pela vida de um lado e, do outro, Juliano ficando abatido pelo desânimo. Todos percebiam, claro, mas ele não falava o que era, alegando cansaço e só. A não ser comigo. Andávamos tendo longas conversas, mais do que normalmente, porque eu era a única ciente de seus dilemas.

— Juliano, seja franco com os meninos e com sua família — insistia. — Você sabe que ninguém vai virar as costas para você.

— Preciso tomar coragem, mas...

---

15 "Dor de amor", composição de Zeca Pagodinho, Arlindo Cruz e Acyr Marques, interpretada por Beth Carvalho.

O melhor dos imprevistos

E sempre que ele me dizia isso, acabava me calando, porque de falta de coragem para revelar uma verdade eu entendia bem. O problema era que não podia deixar meu amigo cabisbaixo daquela forma. Como não cabia a mim tomar decisões por ele, eu o convenci a me acompanhar numa noitada.

— Elza, você não gosta de baladas — Juliano fez questão de me lembrar.

— Mas adoro você e acho que isso será bom para nós dois. Ah, vamos!

— Você tem certeza? — Ele estava verificando minha decisão, porque resolvi que iríamos a uma casa noturna LGBTQIA+.— E se formos reconhecidos?

— Qual é o problema? Devemos alguma coisa a alguém?

Na verdade, Juliano tentava me convencer de que era melhor deixar as coisas como estavam, ou seja, ele deprimido no canto dele, mas não obteve sucesso nessa missão, de modo que aqui estamos. Acabamos de entrar na boate e eu pressinto que vamos nos divertir.

A música está alta, as luzes nos desorientam um pouco, a balada corre solta. Sou naturalmente uma pessoa muito acomodada, mas admito que essa energia é contagiante.

— Ju — grito para ser ouvida. — Vamos ali pegar uma bebida.

Há várias mesas de pernas compridas espalhadas pela boate. Nós dois conseguimos uma, onde apoiamos nossos cotovelos e as taças de gim que acabamos de receber das mãos do barman.

— É diferente do que eu imaginava — declara ele, sem conseguir parar de olhar para tudo.

— Pensou o quê? Que seríamos devorados vivos por uma horda de homens sarados e pelados ou mulheres com os peitos de fora segurando lanças flamejantes? — zombo, estalando os lábios. — Amigo, abra a sua cabeça!

— Elza, deixa de ser besta. Não é nada disso. Só achei... diferente.

Eu sei o motivo, mas resolvo não expor em voz alta. O lugar é diferente porque Juliano pode ver agora o que ele nunca pôde viver, já que só recentemente compreendeu sua própria sexualidade.

175

— É tudo igual, querido. O problema é que existe gente demais no mundo que se recusa a entender isso — digo, descontraída e encantada com o doce amargor da minha bebida.

Juliano concorda, mas mantém a boca fechada, por enquanto concentrado em assimilar o lugar e seus frequentadores.

Nesse meio-tempo, recebo uma mensagem de Vicente, que ficou com Giovana esta noite, apesar de não ter entendido por que Juliano e eu não abrimos o convite aos demais. Lucas também torceu o nariz, enquanto Benjamim nem se deu conta.

Mamãe, posso dormir mais tarde hoje?

Ele colocou Giovana para gravar o pedido. A voz dela é pura diversão, o que demonstra que os dois estão de malandragem comigo.

Já é tarde o suficiente, mocinha.

Onde é que vocês estão? A pergunta agora foi feita por Vicente. Ele deve ter ouvido as batidas da música eletrônica, enquanto eu gravava.

Não me surpreendo ao sentir um descompasso do coração. Agora isso virou rotina sempre que Vicente se manifesta, só não me perguntei o porquê ainda.

— Juliano, é esquisito gostar de um amigo? — questiono subitamente.

— Estar apaixonado? — replica ele.

— Uhum — confirmo, fingindo desinteresse.

Tenho pensado muito nisso nos últimos tempos. O quão estranho seria se envolver amorosamente com um amigo.

— Para ser sincero, Elzinha, acredito que seja bem mais fácil quando nos apaixonamos por um desconhecido ou, pelo menos, por alguém de quem não somos muito próximos.

Acho que o entendo, mesmo assim quero ouvir detalhadamente suas razões. Eu o estimulo a prosseguir, movimentando minhas sobrancelhas de modo significativo.

— Nós sabemos tudo um sobre o outro, temos liberdade de falar a respeito de qualquer assunto, compartilhamos detalhes que mais ninguém conhece.

O melhor dos imprevistos

— E isso não é bom para um relacionamento mais profundo? — questiono. — A relação já começa pronta, evitando aquele começo de descobertas que geralmente vem junto com inseguranças.

— Não sei, Elzinha. Só sinto que é bem desconcertante.

— Talvez porque você esteja com medo de ser julgado e preterido por ser homossexual? — arrisco um palpite.

— Você acha que se eu fosse apaixonado por você seria diferente?

Nós nos encaramos, cada um envolvido pelas próprias reflexões.

— Acredito que não — concluo, finalmente.

Respiro fundo, sem saber se devo ou não verbalizar certas dúvidas que andam dando um nó na minha cabeça.

Depois que dormi com Felipe e engravidei, nunca mais senti absolutamente nada por outra pessoa, nem mesmo uma atração sexual. Nada. Primeiro, veio a depressão ao longo da gravidez. Em seguida, os cuidados infinitos com a recém-nascida, as preocupações cotidianas da maternidade e o trabalho aumentando. Enfim... Tenho vivido os últimos anos sem o frenesi da paixão, e isso não me tem feito falta. Não vou negar que é delicioso viver aqueles momentos iniciais de estar interessado em alguém. Disso tenho saudade de vez em quando. Porém nunca foi uma grande coisa. Até que...

— Juliano, há algo esquisito acontecendo comigo — confesso, depois de um gole mais generoso de gim. Engasgo, porque foi generoso demais.

Ele dá uns tapinhas nas minhas costas, fazendo cara de preocupado. Deve estar pensando que estou passando mal.

— O que foi, Elza? O que está sentindo?

— Nada físico — asseguro. — Quero dizer, pode ser que sim, mas não tem nada a ver com saúde. Relaxa.

Juliano, o mais meigo e gentil de todos, agora demonstra certa impaciência.

— Então o que é, gente?

Tento encontrar a ponta da linha, o começo de tudo. Não me refiro ao momento que gerou o início do melindre entre mim e Vicente; isso está fresco em minha memória. Tenho cavado mais fundo, porque certamente deixei de enxergar algo antes disso. Explico para ele aquilo que consigo justificar, como de repente a proximidade de Vicente passou a ser percebida com mais atenção, a estranheza que ocorreu depois que dormi na casa dele, o abraço do qual não queria me desvencilhar, coisas desse tipo.

Até agora, não tinha falado sobre essas sensações com ninguém. Expô-las em voz alta faz tudo parecer ainda mais estranho. Será que estou sentindo algo especial por meu amigo?

Enquanto desabafo, Juliano me encara, alternando expressões de surpresa e compreensão.

— Ultimamente andamos tão reveladores, hein — comenta ele, assim que faço uma pausa para molhar as palavras, bebericando mais um gole de gim. — Enfim este dia chegou.

— Que dia, Juliano?

— O dia em que suas estruturas se abalariam por alguém de novo. O curioso é que a pessoa em questão sempre esteve por perto de você.

— Eu não sei se minhas estruturas foram abaladas. Mas...

— Mas você está parando para pensar sobre o assunto, o que é muito significativo, Elzinha. Vamos analisar a situação juntos — propõe Juliano, subitamente animado. — Você tinha ciúmes do Vicente com a Maria?

— Não — respondo prontamente. Essa é a pura verdade.

— Mas não morria de amores por ela.

— E algum de nós morria? — retruco. — Ela nunca foi muito amistosa com a Giovana. Como mãe, não conseguia passar por cima disso.

Juliano pega um guardanapo de papel, pede uma caneta para o garçom e escreve em seguida:

Ciúme (x)

— O que é isso? — Aponto para a anotação.

— Estou começando o *check-list*.

— Está parecendo teste bobo de revista — desdenho.

— Esse é o ponto. Próxima questão: você acha o Vicente atraente?

O melhor dos imprevistos

Paro para pensar. Visualizo meu amigo. Ele tem olhos que não apenas veem, mas enxergam, uma boca que emite verdades sem rodeios nem julgamentos, braços que abraçam de verdade.

— Quem não acha? Ele é bem gato, não é?

— Para quem aprecia o estilo charmoso despretensioso, sim. — Juliano anota mais um item. — Ele é gato mesmo.

Gostoso (✓)

— Ei, eu não disse que Vicente é gostoso! — protesto, tentando pegar a caneta da mão de Juliano, que se esquiva.

— E não é?

Nós dois gargalhamos. Tanto o álcool quanto o modo como o assunto está sendo tratado dão leveza ao clima.

— SIM! — respondemos juntos, por fim.

— Já teve vontade de beijar o Vicente? — Terceira pergunta.

Essa me provoca um frio na barriga. Fecho os olhos por instantes e a recordação de um pensamento de outro dia volta com força.

— Já, não já? — insiste Juliano, cutucando minhas costelas com a caneta.

— Só uma vez...

Quer beijar (✓)

Faz tantos anos que não beijo alguém, que realmente não sei se o desejo de beijar Vicente é apenas uma necessidade provocada pelos hormônios ou alguma coisa a mais.

— Você já quis beijar o Benja ou o Lucas também? — argumenta Juliano, erguendo uma das sobrancelhas para enfatizar sua análise. — Não, né?

Ele nem me espera responder. A verdade deve estar escrita na minha testa.

— Por fim, Elzinha, você sente que o Vicente sente... — Juliano interrompe a frase e morre de rir, daquele jeito esquisito de sempre. — Sente que o Vicente sente!

— Que bom que estou divertindo você — brinco, mas sendo bastante sincera. Fico feliz por ver meu amigo sorrindo de verdade. — E a resposta é talvez.

179

— Sério? — Toda a atenção de Juliano é dedicada a mim agora. O guardanapo está esquecido sobre a mesa.

— Ele quer me contar uma coisa. Não sei o que é, mas disse que só vai dizer quando eu quiser saber.

— Nossa. Essa atitude é tão Vicente sendo Vicente, né? Elzinha do céu, e você? Nada até agora?

Balanço a cabeça, negando.

— Deixa de ser medrosa e vai ouvir o que ele tem para falar, criatura. Diferentemente de nós dois, Vicente não quer guardar o que quer que seja só para ele.

— Será que estou preparada?

— Paga para ver.

— Você também.

Brindamos nossas taças com o gim já abaixo da metade.

— Gostei daqui — comenta Juliano, mudando de assunto e genuinamente animado.

— E parece que aquele gato ali gostou de você.

31

Dou o quinto ou sexto bocejo desde que me sentei para almoçar, três minutos atrás. Juliano não parece mais acordado do que eu. Lucas, Benjamim e Vicente nos encaram com certa indiferença.

— A noite foi das boas ontem, hein — comenta Lucas. — Pena que não fomos convidados. Ainda estou tentando entender por quê.

— Aonde vocês foram mesmo? — pergunta Benjamim, o menos afetado dos três. Ele está mais preocupado com o prato que ainda não foi servido.

Juliano tosse. Sei que ele forjou para que eu entenda que não devo dizer nada.

— A um bar — responde ele.

— A uma boate — falo, ao mesmo tempo.

Os outros três nos encaram com descrença.

— Que palhaçada é essa, gente? — Lucas não aguenta e explode. — O que estão escondendo de nós? Desde quando guardamos segredos uns dos outros?

Pode ser cisma minha, mas não é só Juliano que fica incomodado. Vicente também me parece desconfortável. Fico de boca fechada, primeiro porque não imagino que resposta devo dar, além de estar meio ressaqueada.

A noite foi divertida e esclarecedora. Juliano aceitou a paquera de um bonitão que ficou rondando nossa mesa, o que me deixou tão feliz. Não passou disso, mas foi emocionante ver meu amigo se aceitando. Gostaria que os outros pudessem compartilhar a alegria que sinto, mas não é meu papel tocar nesse assunto sem a permissão de Juliano.

Tento arrumar uma justificativa de última hora, mas só consigo gaguejar e parecer suspeita:

— Não é isso... A gente foi sozinho porque eu... porque o Juliano...

— Eu sou gay.

Silêncio sepulcral.

Meu sono evaporou, levando junto a ressaca.

— Vocês não escutaram? — insiste Juliano. — Eu sou gay.

Meu coração lembra um surdo de marcação, tocado durante um desfile na Sapucaí. Estou esperando que os meninos reajam, que falem alguma coisa, que não sejam babacas.

Falta muito pouco para eu extravasar a angústia frente ao silêncio deles. Então, Vicente finalmente se manifesta:

— O que leva você a pensar que não deveríamos saber disso? Achou mesmo que mudaria alguma coisa entre nós? — Sinto mágoa misturada às perguntas.

— Custei a compreender minha sexualidade. Não escondi de vocês, escondi de mim.

Passo meu braço sobre os ombros de Juliano, aproveitando que estou sentada ao lado dele. Faço isso por amor a ele, por desejo de protegê-lo, apoiá-lo, mostrar para os outros que sempre fomos e sempre seremos assim, disponíveis uns para os outros.

— Desabafei com a Elza outro dia e ontem nós fomos... — Juliano não consegue terminar a frase.

— Cara, isso não muda nada! — garante Lucas. — De quem você gosta, com quem dorme, isso é sua vida. Por exemplo, a Elzinha não dorme com ninguém, e a gente segue amigo dela.

— Besta — xingo, mas ciente da estratégia de Lucas, que sempre procura tirar o peso das coisas.

O melhor dos imprevistos

— Desculpe, Juliano. Não temos que cobrar nada. Se você não contou antes, tudo bem — garante Vicente.

— Esse é o tipo de assunto que nem deveria ser pauta. — Benjamim dá sua opinião, de repente. — Sexualidade dos outros. Se as pessoas fossem evoluídas, ninguém daria importância para isso.

— Nós somos evoluídos. — Lucas bate no peito com orgulho. — Aqui com a gente, Juliano, não agarra nada.

Juliano sorri e eu beijo a bochecha dele. Estou tão orgulhosa do meu amigo.

— Mas não vamos te perdoar por ter contado para a Elza primeiro — Lucas emenda, brincalhão. — Só porque ela é mulher, acha que é mais consciente, é?

— Mais consciente, madura, totalmente desconstruída — enumero, entrando na brincadeira.

Nossos pratos são postos na mesa. Estou faminta, consequência da bebedeira da noite anterior.

— Mas ainda não sabemos aonde vocês dois foram ontem. — Vicente traz a questão de volta.

Juliano e eu nos entreolhamos e, despreocupadamente, damos de ombros.

— A uma boate LGBTQIA+ — respondo.

Benjamim, num ataque de risos, dá um soco no ombro de Juliano.

— É isso aí, cara! Expanda mesmo seus horizontes.

— Aposto que foi ideia da Elza — palpita Lucas, apontando o garfo para mim.

— Foi mesmo. E foi uma ideia genial, modéstia à parte. — Eu me vanglorio. — Nós nos divertimos a noite inteira.

— E tivemos uma interessante conversa também — completa Juliano, me provocando discretamente.

— O quê? A Elza também saiu do armário, é?

— Não exatamente, Benja. Talvez o que ela queira é que alguém entre no armário dela.

— Ah! — Indignada, dou um tapa no braço de Juliano. — Agora que se revelou, está todo engraçadinho, né?

Todos riem. Pensando bem, não todos.

Diferentemente dos outros, Vicente está sério, me observando com tanta intensidade que chego a tremer. Acho que chegou a hora de ouvir o que ele quer me contar.

...

Depois do almoço, lá na clínica, longe dos demais, toquei no braço de Vicente e disse que gostaria de escutar o que ele planejava me dizer. Ele deu um meio sorriso que apreciei bastante e perguntou se não poderíamos ir para a casa dele depois do trabalho.

— Prefiro passar no meu apartamento primeiro. Tenho que ver a Giovana antes. — Foi o que respondi.

Ele aceitou e nós dois tentamos fazer aquele combinado parecer natural. Mas sabia que algo estava prestes a mudar entre nós. Ou não. Talvez eu estivesse cismada com uma coisa que nem existia de verdade. Enfim, mais tarde saberia.

A água do chuveiro faz massagem nas minhas costas, enquanto minhas mãos se ocupam em espumar meus cabelos, já na segunda dose de xampu. Eu me sinto energizada, adorando dar um pouco de carinho a mim mesma. Lá fora, sobre minha cama, um vestido bonito e que não uso há muito tempo me espera para ganhar vida e movimento, depois de meses espremido entre outros modelitos. O ritual de arrumação é mais longo do que eu esperava, mas prazeroso. Giovana também se deixa levar por meu entusiasmo, entrando e saindo do meu quarto, tagarela como de costume.

— Acho que esse brinco combina com a sua roupa — palpita, tirando uma de minhas bijuterias da caixa onde as guardo. — Esse colar também.

— Ou um ou outro, Gio. — São duas peças grandes, o que promoverá uma briga com o visual caso sejam usadas juntas.

Nada me impedia de ir para o apartamento de Vicente direto do trabalho, conforme ele sugeriu. Sim, ver Giovana antes não foi uma desculpa esfarrapada, mas não era obrigatório. Ela estava acostumada com meus horários malucos, então nem sempre nos víamos muito cedo. Hoje, porque eu não tenho ideia do que vai acontecer mais tarde, pedi a Mirtes que dormisse aqui em casa.

Mesmo estando tudo esquematizado, decidi que dedicaria um tempo a mim mesma. Quero chegar lá de banho tomado, cabelos limpos, bem-arrumada e cheirosa. Por quê? Por mim. Faz uma eternidade que não concedo a mim mesma um pouco de paparico.

Giovana pega meu telefone em cima da cama e me entrega.

— Posso colocar música, mamãe?

Desbloqueio o celular, mas o resto é ela quem faz. Aciona o aplicativo certo e escolhe uma *playlist*, que é imediatamente transmitida ao aparelho reprodutor de som.

— Você gosta de Zeca Pagodinho, né, minha filha? — faço a observação assim que escuto os acordes da primeira canção.

Descobri que te amo demais
Descobri em você minha paz
Descobri sem querer a vida
Verdade.[16]

— Na verdade, gosto mais de Dua Lipa, mas Zeca Pagodinho também é legal.

Acho graça. Essa criança entende de tudo e mais um pouco.

Giovana cantarola baixinho, enquanto termino de passar o creme hidratante no corpo.

— Por que está ficando toda cheirosa para ir encontrar o tio Vicente?

Ela me pega de surpresa, me obrigando a improvisar:

— Estou só experimentando esse creme novo.

— Nunca vi você com esse vestido, mamãe. Na verdade, você só usa umas roupas não muito bonitas.

---

16 "Verdade", composição de Carlinhos Santana e Nelson Rufino.

— Minhas roupas de trabalho, madame. Fico de jaleco o dia inteiro, esqueceu?

— Você podia usar um sapato de salto hoje, um bem lindo. Posso escolher?

Digo que sim, mesmo temendo que ela escolha um par que não combina com a roupa. Se for o caso, serei franca.

— Esse!

A danadinha tem bom gosto. Faço sinal de positivo, deixando-a orgulhosa, tão inchada quanto um balão bem cheio.

Ao final do processo, eu me olho no espelho. Gosto do que vejo, de verdade. Giovana bate palmas e corre para chamar Mirtes. Dou uma última conferida na produção antes de finalmente sair, mas, primeiro, me curto mais um pouquinho, ao som de:

Deixa a vida me levar
Vida leva eu
Deixa a vida me levar
Vida leva eu
Deixa a vida me levar
Vida leva eu
Sou feliz e agradeço
Por tudo que Deus me deu[17]

A motorista do Uber que me trouxe até o prédio de Vicente perguntou o nome do perfume que estou usando, porque ela o achou suave e cheiroso. Eu disse que era só creme hidratante e escrevi o nome para ela.

Agora, enquanto subo os andares dentro do elevador, eu me pergunto se não exagerei na dose. Será que passei do ponto? Se o que Vicente tem para me contar for completamente diferente

---

17 "Deixa a vida me levar", composição de Eri Do Cais e Serginho Meriti, interpretada por Zeca Pagodinho.

O melhor dos imprevistos

do que estou imaginando, vou me sentir muito ridícula. A verdade verdadeira é que não tenho certeza se estou preparada para o que quer que seja, mas decidi pagar para ver. Tenho pendências maiores para tentar solucionar num futuro breve.

Salto no oitavo andar, coração bombeando sangue ferozmente. O número 801 nunca causou tanto alvoroço dentro de mim antes. Puxo o ar duas, três vezes, e só então me sinto corajosa para tocar a campainha. Mas Vicente abre a porta primeiro. Claro. O porteiro avisou que eu estava subindo.

— Olá, Elza. — De novo, a sensação de que meu nome propaga calor.

Vicente pega na ponta dos meus dedos e me faz entrar no apartamento. Ele está vestindo calça jeans clara, uma camiseta de malha comum e não usa nada nos pés. Não sei por que motivo, mas encontrá-lo assim descalço me trouxe boas lembranças de como é gostoso achar alguém sexy.

— Vestido novo?

— Velho. Mas não o visto há tempos.

— Bonito.

— Obrigada.

Já estive aqui inúmeras vezes, então deveria estar mais calma e à vontade. Que nada. Pareço um paciente dando entrada no hospital com as funções vitais todas alteradas.

Batimentos cardíacos? Acelerados.

Pressão sanguínea? Nas alturas.

Respiração? Que respiração?

— O que quer beber, Elza?

— Nem sei se deveria, depois de ontem.

Vicente ri.

— Você e o Juliano são duas figuras. Vamos tomar alguma coisa leve, então. O que prefere?

— Cerveja.

Enquanto Vicente vai até a cozinha, aproveito para exalar o ar preso no meu peito. Há uma tensão no ar, bastante tangível, por sinal. Eu me pergunto se meu amigo sempre foi tão sensual assim ou se nunca tive olhos para ele, a ponto de ser surpreendida só agora?

Ele traz a cerveja e gira a tampinha com as próprias mãos. Nunca consigo fazer isso. Sempre tenho que recorrer ao abridor de garrafas. O movimento destaca os músculos dos braços de Vicente. Músculo bíceps, músculo tríceps braquial, músculo coracobraquial, músculo redondo menor... Recito mentalmente os nomes para não me fixar no homem que os exibe sem a menor cerimônia ou consciência do quanto está me afetando.

— A Gio está bem? — quer saber, vindo se sentar ao meu lado.

— Como sempre. Nós estamos influenciando demais aquela menina. Já virou fã de Zeca Pagodinho — conto, sorridente. Falar de Giovana é um assunto seguro.

— Inevitável. Ela adora o grupo.

Vicente, talvez incentivado pelo teor da conversa, liga o som. A voz inconfundível de Elza Soares passa a nos fazer companhia.

Ergo uma sobrancelha para ele.

— Elza, é?

Ele bebe sua cerveja pelo gargalo, encarando-me por cima da garrafa.

— E existe alguém mais apropriado?

— Apropriado para quê? — indago, a voz soando um pouco estrangulada.

— Para me ajudar com a confissão que preciso fazer.

32

Elza Soares derrama a aspereza de sua voz sobre a letra:

Beija-me
Deixa o teu rosto coladinho ao meu
Beija-me
Eu dou a vida pelo beijo teu
Beija-me
Quero sentir o teu perfume
Beija-me com todo o teu amor
Senão eu morro de ciúme.[18]

Esse é um samba que o "Fundo de Hospital" nunca tocou. A cada ano que passa, nosso grupo entende mais e mais de samba. Acontece que mesmo assim é impossível que nós conheçamos todos. O universo do gênero é vasto como o fundo do mar.
— Sambinha gostoso — comento e me obrigo a ter coragem. — Em que ele pode ajudar você?

---
18 "Beija-me", composição de Roberto Martins e Mário Rossi.

Vicente larga a garrafa dele sobre a mesa de centro, sentando-se de um jeito despojado: uma perna cruzada sob o corpo, um dos cotovelos apoiados no encosto do sofá. Olhando para ele, parece que é a serenidade em pessoa. Mas é fácil ver que não é bem assim. Seu peito sobe e desce um pouco mais acelerado que de costume. Está nervoso — então não sou só eu.

— Desde aquele dia no terraço da clínica, tenho tentado me preparar para hoje, sem saber se você ia dar o passo seguinte ou não. Mas agora não sei como começar.

— Sendo direto?

— Tem certeza disso?

Nós quase derretemos juntos de tão intenso que estava nosso olhar um para o outro, como chocolate e leite condensado se misturando numa panela quente.

— Se eu disser que sou apaixonado por você desde sempre, você vai sair daqui correndo?

Cheguei aqui hoje suspeitando que ouviria esse tipo de confissão. Mesmo precavida, Vicente me surpreende. Ele me fez a pergunta com certa humildade, tenso, um tanto emocionado. Por isso e pelo "desde sempre", estou muito impactada.

— Por quê? — questiono baixinho, quase sem fôlego.

— Por que me apaixonei por você? Eu não sei, Elza, porque não me lembro do tempo em que não fui apaixonado por você.

— Mas por que só agora? Por que só está me contando isso agora?

Vicente sai do sofá e anda até a porta da varanda. Está entre-aberta. Ele termina de abri-la e uma brisa fresca invade a sala sem pedir licença, agitando as cortinas suavemente.

— Porque a vida não avisa quando vai mudar. Depois do acidente do Benjamim, passei a achar que fui um estúpido esperando esses anos todos para contar a verdade a você.

Assinto, mas Vicente não me vê, porque está de costas.

— Não falei antes porque já éramos amigos quando percebi que te amava. Tive medo de assustar você e acabar perdendo sua amizade. — Ele respira fundo e volta a olhar para mim. — Depois

O melhor dos imprevistos

veio a Giovana. Foi nessa época que resolvi deixar para lá. Você foi muito enfática ao dizer que não estava interessada em romance.

— Vicente...

— Mas agora sei que você não vai se afastar de mim, mesmo que não seja um sentimento recíproco. Tenho certeza de que seremos amigos a vida inteira e que amar você não vai nos distanciar.

Estou tão emocionada que não sei como reagir.

— Eu só gostaria de ouvir alguma coisa, qualquer coisa — pede, com um sorriso torto e meio tristonho embelezando seu rosto forte.

Também deixo minha cerveja sobre a mesa e fico de pé. Tento chegar até onde Vicente está, mas tropeço no tapete, arrancando dele uma risada de verdade. Desço dos sapatos de salto. Além de me deixarem instável, estão machucando meus pés.

— Vicente, você é um *expert* em guardar seus sentimentos. Jamais imaginei que gostasse de mim assim.

— Gosto não, amo. É diferente — corrige ele, inabalável. — Agora que confessei, não consigo parar de dizer. — E ri de novo, embaraçado.

— Acho que ninguém percebeu.

— Não.

Estamos próximos. Preciso erguer um pouco a cabeça para continuar olhando nos olhos dele. Sem os sapatos, sou pelo menos uns quinze centímetros mais baixa.

— Nunca amei alguém, mas você já sabe disso. Os quatro sabem. Não sei o que é amar um homem para além do que sinto por vocês como amiga.

Vicente não move um músculo e parece ter parado de respirar.

Dá a entender que vai dizer alguma coisa, mas não permito, apoiando minhas mãos sobre o peito dele. Seu coração está tão agitado quanto o meu.

— Vocês são meus amigos, a quem amo incondicionalmente.

— Entendi — diz, com ar de derrota.

— Duvido, porque eu não acabei.

Minhas mãos se movem do peito para os ombros e fazem o caminho de volta.

— Se você não tivesse dado alguns sinais, não teria me despertado sozinha. Acho que não. Mas desde aquele dia no terraço, Vicente... Não, antes: desde que dormi na sua cama, não tiro você da minha cabeça.

Ele arregala os olhos e respira ainda mais fortemente quando envolvo seu pescoço.

— Não sei exatamente o que é amar um homem como homem, mas admito que, se você deixar, quero descobrir isso com você. Apenas com você.

Ninguém pode culpar a cerveja por minha recém-descoberta ousadia, porque nem cheguei a beber a garrafa inteira. Esta sou eu mesma, descobrindo que, além de mãe dedicada e profissional, também sou uma mulher com desejos e outros tipos de expectativas. Bom, estou descobrindo isso aqui e agora.

Aproximo meu rosto do de Vicente, que zera a distância rapidamente e me beija. Ele roça seus lábios nos meus, como se primeiro precisasse confirmar se o que acabei de dizer é mesmo verdade.

Para esclarecer qualquer sombra de dúvida, sou eu quem torna as coisas um pouco mais óbvias. Puxo Vicente, estreitando-o em meus braços, e intensifico o beijo.

Meio rindo, meio gemendo, mas sem parar de me beijar, ele nos conduz de volta ao sofá, onde as coisas ficam um pouco mais quentes.

Faz mais de sete anos que sequer beijo alguém na boca. Depois de Felipe, o ordinário que me encantou por se parecer com Heath Ledger, nunca mais. Foi um longo período, uma parte considerável da minha juventude. Uma análise superficial causa uma incompreensão generalizada. Ser mãe não impede uma mulher de ser mulher. Nós ainda sentimos desejos e temos vontades, a despeito da maternidade. Um filho não rouba de nós certas expectativas, mas acaba nos rotulando, de certa forma.

Ouço sempre as pessoas dizendo "porque ela é mãe", "nossa, uma mãe agindo assim", "dê exemplo, você já é mãe", "mãe de menina precisa ser modelo para a filha". Do mesmo jeito que endeusam o papel das mães, colocando-nos num pedestal divino, como se todas,

O melhor dos imprevistos

sem exceção, tivessem nascido para a maternidade e não pudessem cometer erros, somos cobradas até mais do que outras mulheres já são normalmente.

Há sete anos, sei disso por experiência própria.

Mas é importante esclarecer que impedi de explorar meus desejos durante esse tempo por escolha, não porque fui tolhida pelos preconceitos. O trabalho e minha filha, até então, eram suficientes para mim. E os amigos, claro.

Agora, um desses amigos está com a língua dentro da minha boca e as mãos sentindo a textura do meu vestido, ressuscitando cada célula desejosa que andava adormecida dentro de mim. Escuto o ruído típico de um zíper sendo aberto vagarosamente.

— É estranho para você? — pergunta Vicente, ofegante, sexy, maravilhoso.

— Nada estranho, normalíssimo — respondo apressadamente, o que lhe provoca uma gargalhada gostosa.

Ele termina de descer o zíper e o vestido escapole do meu corpo como se não suportasse mais me cobrir. Foge de mim. Vicente então me admira por um instante, só por um pequeno instante, porque, depois de tantos anos guardando seus sentimentos para si, acho que cada segundo agora é precioso demais para ser perdido.

...

Meus cabelos estão molhados. Suas pontas umedecem o roupão, que absorve as gotas preguiçosas e insistentes, sem permitir que minhas costas sequer as percebam. Vicente ainda está no chuveiro.

Ah, meu pai! Vicente.

Não consigo parar de pensar em nós, não apenas nele, mas em nós. Eu o conheço há tanto tempo, já o vi nas situações mais constrangedoras possíveis, mas nada nunca me alertou para o que vivemos ao longo da noite. E agora de manhã. No chuveiro. Meu pescoço esquenta, mais do que a frigideira que estou usando para preparar uns ovos mexidos para nosso café da manhã. Gente, Vicente é... um espetáculo!

Acordei mergulhada no constrangimento assim que me dei conta de onde estava deitada e quem olhava para mim com a expressão sonolenta mais charmosa e fofa do universo. Pisquei envergonhada e enfiei minha cabeça sob o edredom, rindo que nem boba. Vicente copiou minha reação, então ficamos os dois nos entreolhando por baixo do cobertor, no escuro, sem dizer uma só palavra. Não ousei baixar o olhar, porque isso concretizaria o que minha mente já sabia bem antes dos olhos: estávamos sem uma peça sequer de roupa.

Depois de um tempo, Vicente disse oi, eu respondi oi, nós abrimos um sorrisão, os dentes dele aparecendo e brilhando como as teclas perfeitas de um piano, nossas vozes roucas de sono e... Parece que fomos meio barulhentos pela madrugada afora. A tensão foi ficando insuportavelmente gostosa, portanto acabamos aproveitando o momento, o lugar e a ausência de roupas. Na cama e no chuveiro.

Retiro os ovos da frigideira antes que queimem. Estou um tanto distraída. Enquanto ajeito num prato, ouço ruídos vindos do quarto. Meu coração dispara. Não tenho prática em esquisitice matinal.

O que vamos dizer um para o outro? Como será daqui em diante?

— O cheiro está bom. — O timbre da voz dele sempre foi assim tão sensual? Os pacientes sabem disso?

Eu me deparo com Vicente vestindo calças largas e uma blusa justa, os cabelos úmidos como os meus. No rosto, duas covinhas que afundam suas bochechas. Tudo de repente passou a ficar tão perceptível para mim.

— Quer uma roupa emprestada? — pergunta, apontando para o roupão.

— Não precisa. Antes de sair, coloco o vestido de novo. — Meu rosto vai entrar em combustão a qualquer momento.

Vicente aceita minha resposta e se acomoda na mesa, onde já deixei o café fresquinho, um pote de rosquinhas caseiras — presente de algum paciente, suponho —, algumas frutas cortadas e agora os ovos. Eu me sento de frente para ele.

— Teve tempo de preparar tudo isso? — mostra-se impressionado.

— Você demorou no banho.

— Tive que fazer a barba.

Tento olhar para ele sem parecer que estou encarando, mas minha discrição é flagrada. Vicente dá um sorrisinho safado e tem ainda a cara de pau de piscar para mim.

— Você está se saindo quase tão engraçadinho quanto o Lucas — comento, desistindo de disfarçar.

— Não consigo esconder que estou feliz pra caramba.

Sorrio, muito influenciada pelo clima de paquera. Tinha esquecido como isso é bom.

Vicente acaricia o dorso da minha mão sobre a mesa. Nenhum de nós começou a comer ainda.

— Elza, a gente funciona incrivelmente bem juntos, não acha?

Um arrepio sobe por minha coluna. Essa carícia parece até preliminar.

— Muito — admito. — Quem diria.

— E o que fazemos agora? Por mim, voltaríamos para o quarto ou tentávamos alguma coisa diferente aqui na cozinha mesmo.

— Por que esse sorrisinho? No que está pensando? Vicente, estou muito surpresa com a gente. Até poucas semanas atrás, nem sonhava que terminaríamos assim.

— Terminaríamos? Mas isso aqui não é um começo?

— Você entendeu.

Ele entrelaça seus dedos nos meus.

— Eu sei. Também não imaginava que acabaria criando coragem. Mesmo sendo otimista, não esperava que você aceitasse.

— Não deixa de ser uma loucura, mas estou envolvida até o pescoço — confesso, repentinamente loquaz.

— Isso é tão bom, Elza.

— Você não sabe, mas tem feito meu nome soar quente.

— Mesmo? Você não sabe, mas sempre me deixou com febre.

A tensão volta a nos abraçar. O que eu quero é saltar sobre ele e passar o sábado sem roupa, sem compromisso e sem preocupação.

— Fique aqui hoje. — Vicente lê pensamentos?

— Não posso. Giovana...

— Eu posso buscá-la. Ficamos os três juntos.

— Tentador, mas acho melhor irmos um pouquinho devagar. Você se importa?

— Você quer dizer que...

— Que amei isso aqui. — Aperto seus dedos para demonstrar que não estou pulando fora. — Amei, não, estou amando, mas não gostaria de acelerar as coisas. Vamos juntos, mas lentamente, podemos?

Vicente sorri. Talvez eu acabe viciada nesse seu novo jeito de se expor.

— No ritmo que você preferir, afinal, esperei até agora e não tinha expectativa nenhuma. Já estou no lucro.

— Não sou dinheiro — contesto, de brincadeira.

— Mas é valiosa.

Não resisto. Me levanto da cadeira e vou até Vicente, ajeitando-me sobre seu colo. Ele aprova minha atitude e me aperta.

— Ir devagar não significa não ir. Mas antes preciso lidar com aquela minha pendência e preparar Giovana para as verdades que vão emergir em breve.

— Eu entendo, Elzinha. Você dá o tom.

— Como sempre. Sou a estrela do "Fundo de Hospital".

— Querida, não é porque te amo que terei de concordar com essa barbaridade.

Gargalho, encantada. Tomo a iniciativa e beijo Vicente apaixonadamente. Não sei definir o que estou sentindo, mas é algo tão bom, tão poderoso, que quero aproveitar tanto quanto puder.

...

Recuo da bateria

Aqui do alto, apoiado no guarda-corpo da varanda, vejo Elza pequenininha lá embaixo, andando até o Uber que acabou de chegar. Fiz

O melhor dos imprevistos

uma aposta comigo mesmo e acabo de ganhar. Antes de entrar, ela dá uma olhadinha para cima. Só não esperava o beijo que Elza envia usando os lábios e os dedos. Retribuo, e ela se vai.

Insisti para levá-la, mas ela recusou. Disse que precisava de um tempo sozinha antes de encontrar Giovana.

Eu a entendo. Elza quer ir devagar, então iremos. Porém, não sei, posso estar me iludindo, mas acho que não conseguiremos seguir num ritmo muito lento conforme ela espera, não. Estou bem surpreso com o modo como as coisas aconteceram entre nós. Surpreso e maravilhado. Honestamente, entre tudo o que imaginei, nada chegou tão perto da realidade.

Volto para o meu quarto e me jogo sobre a cama, ainda desfeita. Não quero apagar os vestígios da presença de Elza na minha casa. Da outra vez, já foi difícil ter que trocar os lençóis. Agora, pelo menos sei que se o cheiro dela for embora, não há de ser nada, porque ela vai voltar.

33

— *Juliano, corre aqui!* — *Estou vigiando-o desde cedo.*
— Por que você está sussurrando? — pergunta, enquanto entra no meu consultório. Fecho a porta rapidamente.
— Não estou sussurrando, estou?
Ele esfrega os olhos. Está um pouco abatido, posso perceber.
— Cansado, querido?
— Um paciente vai precisar de uma cirurgia que eu considero bem arriscada. Isso está me deixando um pouco apreensivo.
Natural da nossa profissão. Quantas e quantas vezes sofremos em decorrência do sofrimento dos outros, de pacientes e seus familiares. Dizem que não devemos nos envolver emocionalmente com nossos casos. Como, se somos humanos também? Estranho é o profissional de saúde alheio, indiferente. Bom, desses existem milhares espalhados por aí, infelizmente.
Juliano discute a situação do paciente comigo. Deixo que ele desabafe e dou alguns palpites. Cardiologia não é minha especialidade, mas sou cirurgiã. Então, tenho um pouco de propriedade.
— O que você queria falar comigo à boca miúda? — indaga Juliano, chupando todas as balinhas de hortelã que guardo num pote de cristal sobre a mesa. São para meus pacientes.

O melhor dos imprevistos

Fico um pouco embaraçada, sem saber como começar a contar a novidade. Ele nota meu constrangimento.

— Elza, não me diga que...

— Sim.

— Você e o Vicente?

— Sim.

— Se beijaram? Fizeram tudo?

— Sim.

— Uau!

— Sim.

Um riso solto finaliza o questionário. Juliano quer saber detalhes, e resumo como foi a nossa noite. Ele reage maravilhosamente bem.

— Nós não nos vemos desde sábado, mas nos falamos várias vezes durante o fim de semana — conto, sem conseguir parar de sorrir.

— Vocês não vão contar para ninguém?

— Quero levar isso devagar. Uma coisa de cada vez. Antes de resolver a situação da Giovana, principalmente com a Gabriela, não vou conseguir viver livremente esse romance.

— Romance, é? Pela sua cara de contentamento, acho que significa muito mais do que isso.

— Eu acho que sim — admito. — Estou louca para ver Vicente de novo. Videochamadas são muito frustrantes.

Juliano abre a boca, demonstrando surpresa.

— Você quer dizer que já rolou até *cyber sex*? Gente, ninguém quer mesmo perder tempo.

Jogo uma bala nele, mas não o desminto.

— Rolou! Elzinha, quem pode condenar você por isso, né? No seu lugar, faria o mesmo. Minha amiga, fico tão feliz por você! — Juliano chega perto e me abraça. — É tão bom ver luz nos seus olhos.

Lacrimejo um pouco. Ando meio sentimental desde que abri as portas para certas emoções passarem.

— E você, Juliano? Conversou com seus pais?

Ele passou o fim de semana com Seu Roberto e Dona Gorete. Disse que planejava tocar no assunto, se houvesse uma brecha.

— Não consegui. — Olha para os pés, envergonhado. — Quem sabe, da próxima vez, você não vai comigo e me ajuda a tomar coragem para fazer isso?

— É claro, meu amigo. A hora que quiser. Nem precisa planejar, basta dizer "é hoje" que estarei lá com você.

Nós nos abraçamos um pouco mais, até que — coração aos pulos — Vicente aparece sem emitir aviso-prévio.

— Vocês dois são uma sub-bolha dentro da nossa bolha — acusa ele, com ar brincalhão. — Isso não está certo.

Juliano se afasta de mim, afunda a mão no meu pote de balas, bate nas costas de Vicente e fala, antes de nos deixar a sós:

— Vai falar em sub-bolha agora, amigão? Justo você, que anda se exibindo *on-line* para a mocinha aqui?

— Juliano! — exclamo, a perplexidade estampada na face.

Vicente solta uma gargalhada — muito estranho presenciar isso frequentemente agora — e tranca a porta assim que Juliano sai.

Não sei para onde olhar, não depois que Juliano me entregou desse jeito. Pensando bem, é a segunda vez que ele faz isso. Vou precisar suturar sua boca, pelo jeito.

— Oi — diz Vicente, de braços cruzados, os tornozelos também, encostado na lateral da minha mesa.

— Oi.

— Onde está a Cíntia? — Nunca uma simples indagação soou tão absurdamente sexy.

— Intervalo para o almoço.

— Uhum.

Vicente não se move. Já deu para perceber que ele é doutor em matéria de sedução. Estou completamente perdida, louca por meu amigo, a quem conheço há mais de uma década.

— Ninguém vai poder sair agora — informa ele. — Eu posso. E você?

— Só tenho paciente às duas horas.

— Vamos para minha casa?

Ele ainda estava imóvel. Quanto a mim, era uma pilha de nervos e tentação.

— O que você está fazendo comigo, Vicente?

— Nada — responde inocentemente, como se ele não soubesse coisa alguma sobre a vida. — Veja, estou parado aqui, conversando com você. Quer ir para minha casa comigo, Elza? — Ele enfatiza a pronúncia do meu nome. — A gente pode comer alguma coisa por lá.

Rio de nervoso. O duplo sentido da frase foi fuleiro, mas excitante.

— Quero. — Não resisto.

As covinhas de Vicente dão o ar da graça, tão lindas, tão charmosas, tão minhas.

É tanta tensão sexual pairando entre nós, que o caminho até o carro é uma mistura de pressa com expectativa. Ele abre a porta para mim, mas quando estamos acomodados nos nossos respectivos assentos, Vicente não dá a partida. Ele invade meu espaço e me beija. Na boca, nas bochechas, no pescoço. Agarro a camisa dele e correspondo.

É o estacionamento da clínica, para funcionários e pacientes. Embora os vidros do carro de Vicente sejam escuros, é possível sermos vistos por qualquer pessoa mais atenta. Mas parece que isso não nos incomoda, porque continuamos nos agarrando, e soltando botões, e levantando barras, e abrindo zíperes, e as mãos se chocando, bem como nossas bocas e as batidas dos nossos corações.

— Vicente — murmuro, desejosa.

— Elza...

Deveria ser proibido ele pronunciar meu nome assim.

— Não é melhor terminarmos isso na sua casa? — proponho, mas não movo sequer uma palha para evitar o que já é praticamente inevitável.

— Por que não fazer uma segunda rodada lá?

Ah, meu pai, esse homem vai me matar.

Quer saber? Que seja! Todo mundo, de vez em quando, deveria experimentar umas ousadias na vida. Pode ser que mais tarde eu tenha que dar uma checada nas gravações do sistema de segurança da clínica, mas vale a pena ignorar esse detalhe, pelo menos por enquanto.

...

Não fosse a manta do sofá, eu estaria completamente nua sobre o tapete da sala de Vicente, mas em nome do (pouco) recato que me resta, depois da segunda rodada — ou o prolongamento da primeira (o elevador que o diga) —, joguei a manta por cima de nós. Estamos largados e meio sonolentos no chão, os corpos enroscados.

Vicente não reafirmou seu amor por mim nem uma vez desde que confessou, mas consigo senti-lo a cada instante ao seu lado. Talvez ele não queira repetir por pensar que pode ser um tipo de pressão para que eu responda com as mesmas palavras. Eu ainda não sei o que dizer, mas é óbvio que estou amando viver essa reconstrução junto com ele, a reconstrução da Elza que se permite se apaixonar.

— Estou com saudade da Gio — assume, falando em meu ouvido.

— Passa lá em casa mais tarde para vê-la, como sempre. Não precisa mudar seu jeito com ela por nossa causa.

— Posso dormir lá?

Ele é tão manhoso. Todos os dias eu tenho descoberto um novo Vicente, ainda que nossa amizade seja antiga.

— No sofá ou no quarto de hóspedes?

— Eu consigo sobreviver a essa norma.

Jogo meu braço sobre o peito dele e apoio o queixo em cima para enxergar seu rosto. Vicente está com uma aparência tão relaxada, de um jeito raro de se ver.

— Me conta como você percebeu que gostava de mim.

Seus olhos passeiam pelos meus. É sempre tão mágico esse encontro — dos nossos olhares, quero dizer. Gente, estou me transformando numa montanha de romantismo.

— Não lembro, só sei que aconteceu há muito tempo, quando ainda estávamos nos primeiros anos do curso. Foi gradual, acho. Então, não pude perceber, só sei que quando notei, já era tarde.

— Você tentou não gostar de mim? — Evito o verbo amar.

— Sim, tentei. Fiz isso várias vezes ao longo dos anos. Como você sabe, tive namoradas.

Concordo, balançando a cabeça. Isso acaba provocando cócegas no peito de Vicente, que ri.

O melhor dos imprevistos

— Você fantasiava comigo? — Estou impossível.

Ele nem finge constrangimento.

— Sim, muito.

— Que legal!

Um vento gostoso entra pela varanda e acaricia nossa pele. Pelo cheiro e pelo tipo de vento, posso apostar que não demora a chover.

— A maioria das pessoas não gosta de saber que é objeto da fantasia dos outros — comenta Vicente, contornando minhas sobrancelhas com a ponta do dedo.

— Ser o objeto de suas fantasias é muito lisonjeiro — admito. — Estou tentando imaginar em que situações isso acontecia. Quantas vezes você olhou para mim na clínica, no restaurante, na casa dos pais de Juliano, na minha casa e pensou em safadeza?

— Elza, você está tão diferente. É tão maravilhoso ver você assim.

— Assim como? — Eu sei o que é, mas quero que ele verbalize.

— Animada, falante, vivaz.

— Por sua culpa.

— Culpa é um sentimento ruim — retruca. — Não sinto culpa por participar dessa transformação.

— Sim, professor, então por sua causa.

— Melhor assim.

Eu o beijo nos lábios, de leve, porque nosso tempo está acabando. Não fosse isso, abusaria da minha recém-descoberta ousadia.

— Precisamos ir — choramingo.

— E a gente nem comeu. Vamos ter que fazer uma boquinha.

Ficamos de pé, a manta escorrega, nossos corpos ficam totalmente à mostra, nós rimos, eu o abraço.

— Quer buscar a Giovana na escola comigo mais tarde? — sugiro, pois não quero passar muito tempo longe de Vicente.

— Adoraria. — Ele beija a ponta do meu nariz. — Podemos entrar no colégio de mãos dadas?

— Da próxima vez.

203

34

Minha mãe me ligou para falar do meu aniversário. Quando estivemos juntas pela última vez, no sítio dos meus avós, me lembro de ter pensado em fazer algo para comemorar este ano. Mas acabou acontecendo tanta coisa, que o combinado me escapou. Notei que ela ficou jururu ao perceber minha falta de entusiasmo, então garanti que gostaria muito que ela e papai viessem, além de vovó e vovô. Não preciso organizar nada demais, só alguma coisa simples, entre nós.

Dei minha palavra em benefício desse novo molde de relação mãe e filha que estamos construindo, e por Giovana também. Ela ficará feliz quando souber que passará um fim de semana festivo com os avós e bisavós. Nem todas as crianças têm esse privilégio.

Fico mais velha no próximo fim de semana, então não terei tempo sobrando para organizar alguma coisa mais elaborada. Anoto na agenda algumas ideias. Não posso me dar o luxo de deixar para a última hora. Aproveito o buraco na programação do dia, já que um paciente faltou à consulta e o seguinte ainda não apareceu, e vou até o terraço, com meu infalível café fumegante como companhia. Momento de apreciar a visão e ingerir parte da minha dose diária de cafeína, além de conversar com meus irrequietos pensamentos.

O melhor dos imprevistos

Justo agora, enquanto subo a escadaria, me vem à cabeça que é provável que eu precise convidar Gabriela também. E convidando Gabriela, como pedirei a ela para não levar Felipe? Talvez não a convide. Ou, não sei...

Normalmente, sou eu a rainha do terraço, por isso me surpreendo ao encontrar Juliano visualizando o horizonte recortado pelos edifícios refletores de luz.

— Pena — lamento. — Só trouxe um copo de café.

Quando chego perto o suficiente para distinguir suas expressões faciais, eu me surpreendo pela segunda vez. Ele está com um ar diferente, mais otimista, diria, como quando estamos esperando uma notícia boa e temos uns noventa por cento de expectativas positivas. Não é certeza, mas é bem perto disso.

— Ora, ora, faz bastante tempo que não vejo você sem aquela sua nuvem carregada de estimação. — Finjo que a procuro em torno de Juliano. — O que aconteceu com a pobrezinha? Desaguou? Choveu na sua horta, foi?

Ele tenta se fazer de bravo, mas não consegue, porque o sorriso bobo não permite.

— Elza, depois que você limpou as teias de aranha, anda tão cheia de humor, não é mesmo? — zomba, roubando meu copo de café. Deixo para lá.

Nós brincamos de nos alfinetar, mas nos respeitamos e nos amamos, por isso ficamos sempre felizes com a felicidade um do outro, mesmo quando um de nós não está muito contente com o desenrolar de certas fases da vida. Pelo jeito, este não é o caso agora.

— Muito vulgar essa expressão, colega. Não é você o mais erudito de todos, o que adora termos rebuscados? Mas se for para baixar o nível assim, também posso trazer à tona suas próprias teias.

Ele ri e bebe todo o meu café.

— Isso foi cruel — comenta, mais ou menos sério.

— Você mereceu.

Há nuvens escuras cobrindo o céu. Hoje o sol está tímido. É provável que chova mais tarde, como tem acontecido nos últimos dias. Está ventando mais que de costume aqui no terraço. Meus cabelos dançam em torno da minha cabeça.

— Você está contente — afirmo. — Vai esperar que eu implore para saber o motivo, é?

— Elzinha, você me conhece tão bem.

— Anos de experiência.

— Aconteceu uma coisa muita doida, muito doida mesmo — alega Juliano, costurando uma risada à fala. — Sabe em filme, quando algo inesperado ocorre e a gente reclama da falta de verossimilhança?

— Voltamos às palavras difíceis, hein! Mas, sim, eu sei. Situação bem frequente em filmes, por sinal.

— A vida também pode ser inverossímil, às vezes. Quanto tempo você tem de folga, Elzinha? Porque vou contar uma história.

Juliano

Elza e Vicente iam passar a noite juntos — como a pegação tem feito bem àqueles dois. Se bem que a pegação é consequência dos sentimentos profundos que eles compartilham; bonito isso —, Lucas estava de plantão. Meus planos eram ou ler um livro ou ver alguma coisa na Netflix. Desisti de ir para a casa dos meus pais. Minha intenção é só voltar lá quando surgir a coragem para dizer quem eu sou.

Mas acho que Benjamim, por falta de algum daqueles programas naturebas que ele adora, acabou entediado e me convidou para beber com ele. Eu não me empolguei, porque uma característica que não tenho é a crença em ilusões. É normal que nem sempre estejamos os cinco juntos. Na impossibilidade de nos reunirmos todos, acontece também de sermos dois, três. Somos adultos, não adolescentes enciumados — na maior parte das vezes, diria.

O convite de Benjamim não era para ser interpretado além do seu significado exato: um convite para beber numa noite de sábado. Aceitei, como teria feito se tivesse partido de qualquer um dos outros. Porém, enquanto minha cabeça trabalha com extrema lucidez, o

O melhor dos imprevistos

coração já não é tão inteligente assim. A cada minuto mais perto do horário marcado por Benjamim, mais o danado do músculo palpitava.

Antes de sair, tomei um chá de camomila para acalmar. Uma coisa era finalmente assumir para mim e para meus amigos que sou gay, outra bem diferente é me abrir sobre a paixão por Benjamim. Eis uma informação que jamais será dita, a não ser para Elza, que já sabe.

Não sei por que me apaixonei por ele. Por muito tempo, tive certeza de que eu estava louco. Briguei muito comigo para aceitar que sinto atração por homens. Não sei como funciona com outras pessoas, mas reneguei bastante essa verdade. Tinha e ainda tenho muito medo das consequências, pois nossa sociedade está a uma distância considerável de conviver com o próximo de forma tolerante.

As pessoas costumam basear suas referências destacando características que "ferem" o senso comum — ou se desviam dele. "Sabe aquele professor gay?", "Ah, a atriz lésbica", "O homossexual que mora no meu prédio". Usei exemplos suaves, porque na prática sabemos até que ponto os intolerantes podem chegar.

Certa vez, cheguei de madrugada a Natal, onde eu participaria de um congresso internacional de cardiologia. Tomei um táxi no aeroporto com um motorista muito simpático e falante. Estava cansado e sentindo um sono quase mortal, mas não quis ser indelicado e me obriguei a ficar atento à história que o homem contava. Ele disse que havia sido casado com uma mulher por quase doze anos, com quem teve uma filha. Durante todo o casamento, ele percebia que havia alguma coisa que não funcionava direito. Chegou a acreditar que a falta de atração pela esposa estava relacionada à monotonia causada por anos de relacionamento. Como foi educado por uma família extremamente religiosa, aprendeu que a relação entre pessoas do mesmo sexo era pecado. Mas isso não o impedia de se interessar por homens, o que lhe gerou um grande sofrimento por muito tempo. Ainda casado, chegou a sair escondido com alguns caras, mas depois ele se condenava, tentando se convencer de que era só curiosidade e que não aconteceria mais. Mas acontecia, com mais e mais frequência, inclusive.

Enquanto me arrumava para ir encontrar Benjamim na casa dele, eu me lembrei desse motorista e de sua história. Ele estava feliz, porque, quando peguei seu táxi em Natal, fazia meses que ele tinha sido franco com a esposa, de quem se separou, e agora vivia um relacionamento estável com um homem. Falou que não foi fácil, mas a ex-mulher e a filha o apoiaram incondicionalmente. Foi o que lhe deu coragem para enfrentar o preconceito de algumas pessoas.

Também queria me libertar, como fez esse motorista de Natal. Mas além de me assumir para todo mundo, não sei qual seria o próximo passo, estando apaixonado por um dos meus amigos. Estivesse eu com o coração livre, pode ser que tentasse conhecer alguém e ver no que ia dar. O problema é que não sinto vontade. Não sei como Vicente conseguia namorar outras mulheres sendo que esteve esses anos todos apaixonado por Elza.

Cheguei ao prédio de Benjamim cansado de tanto refletir e fazer conjecturas. Jurei para mim mesmo que manteria minha mente controlada e aproveitaria a noite com meu amigo, indiferente às exigências do meu coração.

Procurei não dar importância quando entrei no apartamento dele, não reparando que ele cheirava a loção pós-barba, nem que seus olhos azuis estavam ainda mais azuis por causa da camisa da mesma cor. Nós nos cumprimentamos do jeito de sempre, batendo uma mão na outra, como fazem os atletas que se congratulam depois de um jogo ou sobre o pódio.

Fizemos as coisas de sempre. Benjamim ligou a televisão no canal de esportes. Estava passando um jogo de futebol, para o qual não demos muita importância, só ficou lá na TV, como pano de fundo para as conversas. Tomamos cerveja, falamos sobre a rotina na clínica, criticamos o governo, ou seja, tudo muito natural.

A certa altura da noite, quando o assunto acidente entrou na pauta, Benjamim disse que mal podia esperar para voltar às escaladas, saltos, trilhas, enfim, à rotina de aventureiro de que tanto gostava. Contou que planejava um acampamento com o grupo com o qual costumava viajar para viver essas aventuras.

O melhor dos imprevistos

Eu achava legal, mas não me via participando de nada assim tão radical, no máximo umas caminhadas no parque, isso já era suficiente.

Entusiasmado, Benjamim ligou o computador e o jogou sobre meu colo para que eu visse as fotos feitas durante esses passeios.

— Quem sabe assim você não se anima? — disse, tentando me convencer de que eu estava perdendo o lado mais empolgante da vida.

Difícil, mas não retruquei. As fotos eram realmente incríveis, cada paisagem mais maravilhosa do que a outra, tudo muito bonito, mas não o suficiente para demover um espírito urbano e acomodado como o meu.

Meu olhar cirúrgico de repente identificou um ponto comum entre várias imagens conforme as passava. Benjamim viajava em grupo, mas havia sempre uma pessoa, a mesma, perto dele, em quase todas as fotos.

— Acho que não conhecemos esse cara aqui, ou conhecemos? — Apontei para a figura frequente, um homem jovem, atlético, sorridente e descolado.

— Esse aqui? Ah, é o Mateus. Sério, vocês não chegaram a conhecê-lo, não? — Benjamim franziu a testa, dando a entender que estava buscando algo na memória.

— Tenho quase certeza de que não.

— Pensei que sim. Ele que costumava organizar nossos passeios.

— Parou então?

Benjamim deu um gole na cerveja.

— Ele se mudou para a Nova Zelândia há uns meses. Pode apostar que não parou, porque essa é a praia dele, mais que a minha. — Ele riu. — Aventura é seu nome de guerra.

Continuei passando as fotos, cada vez mais curioso sobre o tal Mateus. Ele e Benjamim pareciam muito próximos. Então, por que nós nunca o conhecemos? Fiz essa pergunta em voz alta.

— Não somos assim tão próximos, como parece. Costumávamos viajar juntos e saímos de vez em quando. Por isso pensei que já tivessem se esbarrado alguma vez.

Garanto que não.

— Já fiquei com ele algumas vezes também.

Eu juro que não entendi essa última parte. Tanto que pedi para Benjamim repetir. Então, ele disse:

— Eu e o Mateus já ficamos algumas vezes, desse jeito mesmo que você está pensando, Juliano.

Ele declarou com tanta naturalidade, que cheguei a pensar que aquilo era brincadeira só para ver se conseguia me chocar. E chocou mesmo.

— Benja, mas você não é gay, é? — Não era possível que, além de mim, outro de nós guardou o mesmo tipo de segredo.

— Não, não sou gay.

Não estava sendo possível acompanhar o raciocínio. Minha cabeça estava cheia de questionamentos.

— Eu sou bissexual.

— E como nós nunca soubemos disso, gente?

— Juliano, conforme eu disse outro dia, esse tipo de coisa não tem que ser posta na mesa, porque não deveria ser importante, certo? Mudou alguma coisa no jeito como você me vê depois de saber que gosto de mulheres e de homens?

Para mim, mudou um pouco, sim, devido àquele pormenor que preferi não expressar.

— Benja, mas como nunca vimos você com algum cara, já que é tão descolado sobre essa questão?

— Eu não sou um garanhão, caramba, diferentemente do Lucas. Não saio beijando todo mundo por aí, não. Fico com quem desperta meu interesse no geral, não só por atração física. E não namoro, nem mulher, nem homem, porque nunca me apaixonei. Minha verdadeira paixão são as aventuras que faço por aí. E a medicina. E a música.

Ele riu descontraído, como sempre, e foi buscar mais cerveja na cozinha. Para mim, o assunto já estava encerrado, mas quase no final da noite, Benjamim me deu um conselho:

— Amigo, não se reprima por medo de ser rotulado pelas pessoas. A vida é curta demais, cara. Vale a pena passar por ela boicotando nossa felicidade? Acho que não, hein.

O melhor dos imprevistos

Finalizo o relato sobre a noite para uma Elza que parece ter perdido a capacidade de falar. Seus olhos, naturalmente grandes, ficaram enormes, arregalados.

— Primeiro você, depois o Vicente e agora o Benja — enumerou ela, usando um dedo para cada um de nós. — Uma amizade de anos e verdades não reveladas. O que será que José Lucas anda escondendo também?

Engraçado isso. Ninguém é completamente transparente, nem para as pessoas mais íntimas. Pensando bem, estranho seria se todo mundo soubesse tudo a respeito de todos.

— Então, essa carinha satisfeita é por conta dessa novidade? — perguntou Elza, passada a fase do susto inicial. — Esperança, né?

— Não quer dizer nada, mas, sim, fiquei meio contente mesmo.

— Meio? Ah, Juliano, não me faça rir.

Ela enganchou o braço na curva do meu e saiu cantarolando no percurso de volta ao interior da clínica.

Meu Deus, não,
Eu não posso enfrentar essa dor.
Que se chama amor,
Tomou conta do meu ser,
Dia a dia, pouco a pouco,
Já estou ficando louco,
Só por causa de você.[19]

---

19 "Que se chama amor", composição de José Fernando, interpretada pelo grupo Só Pra Contrariar.

35

Puxo Benjamim pela manga da camisa e o prendo contra a parede — figurativa e literalmente.

— Não me conformo por não ter me contado o que contou para o Juliano.

— Ai, ai, ai, Elza! — reclama ele, embora sua expressão seja de pura molecagem. — Se chegar mais perto, vou me apaixonar.

— Mas é um bobo mesmo. E então? Estou esperando pelo menos uma desculpa esfarrapada, algo que me convença de que não fui deliberadamente preterida do posto de amiga do peito.

— Eu não contei porque nunca vi minha sexualidade como algo que merecesse ser manchete dos mais importantes jornais. Sempre estive de boa com isso.

— Acho que você está certo. Mas que é estranho a gente não saber ou pelo menos não ter percebido, visto você com alguém, ah, isso é.

— Nunca fui de exibir minhas paqueras, você sabe disso.

É verdade, tenho que admitir.

— Não, mas já vi você beijando umas meninas, sim.

— Porque sinto atração por todo mundo, ou melhor, não me restrinjo a um gênero. — Benjamim passa as mãos nos cabelos. — Mas aquele Juliano é um fofoqueiro.

O melhor dos imprevistos

— Você pediu segredo, por acaso?

Ele ergue uma das sobrancelhas. Eu repito a expressão. É um duelo de sobrancelhas e caretas desafiadoras.

— Não venha dar uma de santa ofendida, que no seu angu também tem caroço, Elzinha — acusa. — Sua cara anda bem serelepe ultimamente, diferente daquela tensão que costuma te acompanhar, Madame Blue.

Apenas sorrio. Não retruco nem concordo.

— Não sei do que você está falando — desconverso, de propósito, só para irritá-lo.

É meu aniversário. Convidei algumas pessoas para uma pequena confraternização aqui na área de lazer do prédio, mas a lista de convidados acabou sendo mais extensa do que eu pretendia. Então, preferi organizar um churrasco à beira da piscina a reunir todo mundo dentro do apartamento.

Benjamim avista Giovana com os pés mergulhados na água e corre até ela, jogando-se na piscina com ela enganchada nos braços dele. Minha filha grita, mas é nítida a sua felicidade, divertindo-se com o "tio" brincalhão.

Em vez de voltar imediatamente para junto dos convidados, recosto na parede e os observo um pouco afastada.

Aqui estão meus pais e meus avós, os quatro hospedados no meu apartamento. Se há alguns anos alguém me garantisse que essa cena ia acontecer, gargalharia ceticamente. Eles chegaram ontem à noite e desde então tem sido ótimo, inclusive a conversa que meu pai e eu tivemos a sós a respeito do segredo que escondo. Tem sido um processo emocionante estreitar os laços com meus pais. Isso prova que é possível abandonar certas mágoas quando o presente nos dá novas chances.

Aqui também estão meus quatro amigos, a quem surpreendentemente tenho conhecido melhor a cada dia, mesmo que nosso convívio seja estreito e íntimo há tantos anos — agora mais estreito e íntimo com um deles, o que tem feito muito bem para mim. Vicente está pilotando a churrasqueira, de papo com os pais de Juliano. Este, por sua vez, caiu nos encantos de vovó. Estão há horas envolvidos numa conversa ao pé do ouvido. Lucas esbanja sua belezura para uma Cíntia encantada, que desconversou quando perguntei pelo namorado. Benjamim disputa com Giovana para saber qual dos dois é mais criança. Mirtes trouxe Carlinhos, que tenta tomar de Vicente a administração do churrasco.

Fico bastante sentimental no dia do meu aniversário, portanto não é estranho que esteja lacrimejando diante desse cenário tão aconchegante e familiar. Eu me dou conta de que família também é isso, essa configuração atípica, ou melhor, plural, que aquece o coração da gente, despertando o doce sentimento de pertencimento ao lugar.

— O que meu amor está fazendo aqui pelos cantos, com esses olhos cheios de lágrimas?

Não notei que Vicente tinha se afastado do grupo e vindo até mim. Mas não fiquei indiferente ao termo carinhoso usado para se referir a mim. Ele se recosta na parede, bem ao meu lado, a lateral de seu corpo quase tocando o meu. Quase.

— Estou apreciando a vista. Não é lindo isso?

Os dedos de Vicente resvalam nos meus. Sinto um calorzinho dentro do peito, uma sensação tão boa que quero viver assim por muito, muito tempo.

— Gosto de te ver feliz — declara. Sua voz retumba dentro de mim.

— Eu também. — Suspiro. — Imagina se eu beijasse você aqui e agora.

Vicente se move e me encara com desconfiança — e desejo.

— Acha que chocaríamos as pessoas? — questiono.

— Sim, mas nada que maculasse a inocência delas para sempre. Gargalho.

— Vicente, você é muito bom com as palavras, apesar de não fazer uso delas constantemente.

— Sou bom em outras coisas também, como sabe. — Ele se aproxima de mim, encobrindo minha visão. Agora não posso saber o que se passa entre os convidados. — Diga "sim" e eu beijo você agora mesmo. Depois a gente lida com as consequências.

O melhor dos imprevistos

Meus lábios se movem, preparando-se para o "sim", mas meu celular toca bem agora. Mostro para Vicente o nome de quem está me ligando, enquanto tomo coragem para atender.

— Ei, Gabi.

— Parabéns, Elza! Estamos aqui na portaria. Não vejo o porteiro.

Eu me apego ao "estamos". Quando convidei Gabriela, não pude dizer que gostaria somente da presença dela. Passei os últimos dias um pouco tensa com a perspectiva de receber Felipe na minha casa, mas, como eles ainda não tinham aparecido, a esperança de que não viessem mais superou o medo.

— Adivinha quem veio com ela? — desafio Vicente a acertar.

— Ele teve coragem?

Estou tão perplexa quanto Vicente.

— Vai encarar você e Giovana com a Gabriela do lado. Não sei se o cara é burro, corajoso ou um tremendo de um filho da puta.

É o que penso também.

Aproveito os poucos instantes antes da chegada deles para vestir uma armadura feita de simpatia e indiferença. Convidei Gabriela porque ela ficaria muito magoada se tivesse sido "esquecida". Quantos sacrifícios fazemos em nome de um bom relacionamento, não é verdade?

Vicente não sai do meu lado. Daqui a pouco, quando os demais tiverem ciência da saia justa que formou aqui, a formação do esquadrão ficará completa.

...

Meus pais e meus avós apareceram com os braços cheios de presentes para Giovana. Gabriela fez o mesmo. Parece que quem está aniversariando é ela. A alegria da minha filha é suficiente para que aquiete meu estado emocional — um pouco, pelo menos.

Se eu tivesse penas, estaria arrepiada como uma galinha choca, porém me mantenho externamente plena, ainda que Giovana esteja aboletada no colo de uma Gabriela embevecida, alheia ao marido tenso que, graças sejam dadas, teve a dignidade de ir se sentar com meus avós, em vez de ficar fazendo graça para minha filha.

Mamãe, por outro lado, tem rangido os dentes desde o instante que o casal chegou. Assim que ela teve a primeira oportunidade de falar comigo a sós, sussurrou ao meu ouvido — mas, se pudesse, teria dito em altos decibéis:

— Esse rapaz é muito cara de pau. Sabendo do que ele sabe, tem o *desbunde* de aparecer na sua casa!

— "Desbunde" quer dizer deslumbrado, mãe — aviso, mas entendi a força de expressão que ela quis dar à palavra.

— O desplante.

Agora ela acertou.

— Nem é tanto com ele que estou preocupada — admito. — Meu receio é esticar demais a complicação com a Gabriela.

— Então. Se ele fosse um pouco menos egocêntrico, teria pensado em vocês todas e dado uma desculpa para não vir.

Concordo completamente com minha mãe. Felipe tinha a obrigação de evitar essa problemática. Mais uma, por sinal.

— Isso deve ser porque ele está se sentindo confortável no trono dele. Paparica a filha na escola, volta para casa sem obrigação nenhuma, a esposa segue sem saber de nada e você equilibrando a bandeja cheia de taças de cristal — resume minha mãe, repentinamente sábia. — Está passando da hora de jogar essa bandeja no chão.

— Você não fica com medo de que eu cause um estrago na família, mãe?

— Não posso prever como a parentada vai reagir, Elza. Mas antes um estrago na família do que você podendo adoecer de angústia a qualquer momento.

Não resisto e a abraço, transbordando afeto. Desejei a vida inteira ter uma mãe acolhedora. Pelo jeito, agora tenho. Sei que parece tarde demais para isso, mas não me importo. A criança que um dia eu fui a perdoa.

...

O melhor dos imprevistos

Claro que chegaria o momento em que alguém acionaria o "Fundo de Hospital". Seu Roberto, que depois de umas cervejas, batucava com os dedos sobre a mesa, foi o primeiro a cobrar. Tentei argumentar que não podíamos incomodar os vizinhos, pois não estava me sentindo muito à vontade com a presença de Felipe. Vez ou outra, eu o surpreendia me olhando, não sei se por mera curiosidade ou desconfiança. Num desses flagras, quase mostrei o dedo do meio para ele. Quase.

— Vamos lá, Elza, só um pouquinho de samba. Os vizinhos não vão implicar. Ainda é cedo — insiste Seu Roberto.

Vencida pela persistência dele e pela disposição alcoólica dos meninos, cá estou eu, com o tamborim nas mãos e o microfone a postos.

— Eu canto. — Faço questão.

— Boa tarde, pessoal. Preparem-se para o show da gralha com dor de garganta — zomba Lucas, tomando o microfone.

As pessoas acham graça, até Felipe. Os papéis foram invertidos. Pouco mais de sete anos atrás, eu me encantei por ele tocando rock num bar em Paraty. Bom, nem numa realidade paralela desejo que o falso Heath Ledger se encante por mim.

— Toquem "Não deixe o samba morrer" — pede vovó.

— Sim, senhora. Mas tape os ouvidos nas notas altas — aconselha Benjamim. — Elza vai dar uma assassinada no tom.

É sempre assim. Não escapa uma só vez. Então, abro meu bocão convencido. Tanto ele quanto eu não nos envergamos diante das críticas.

Não deixe o samba morrer
Não deixe o samba acabar
O morro foi feito de samba
De samba para gente sambar[20]

---

20 "Não deixe o samba morrer", composição de Aloísio Silva e Edson Conceição.

O mundo pode estar se revirando do avesso, mas quando começo a cantar, quando o samba perpassa meu corpo e atinge minhas cordas vocais, não existe nada, absolutamente nada, capaz de me baquear. Por fim, foi um show que durou a tarde inteira. Alternamos os vocais e até quem não é do grupo se infiltrou para tentar provar seu talento, como vovó e Gabriela.

Agora, o churrasco está acabando. Estamos todos exaustos. Comida, bebida, sol, música, tudo isso é muito gostoso, mas cansa. As pessoas já estão se despedindo. Não vejo a hora de subir, tomar um banho e curtir a preguiça, sabendo que minha avó vai preparar alguma coisa bem saborosa para um lanchinho mais tarde.

— Elzinha, que dia maravilhoso. — Gabriela me aperta entre seus braços. Ela demora a me soltar, como aquela personagem de desenhos infantis que apertava os pobres animais. — Foi tão maravilhoso estar aqui em família. Tia, minha mãe vai morrer de inveja. Vou mandar as fotos para ela quando chegar em casa.

— Aposto que vai mesmo, Gabi — responde mamãe. Ainda bem que só eu sei no que ela está pensando.

— E venha cá, Gio. — Ela me troca por minha filha agora. — Vou morrer de saudade. Ainda estou esperando você lá em casa.

O desconforto reina pela expressão de Felipe.

— Eu posso ir, mamãe? — pede, quase implorando.

— Claro! Um dia desses a gente combina — falo só para espezinhar o infeliz. Dá certo, porque ele trata de apressar as despedidas, se esforçando para tirar Gabriela daqui.

— Eu ligo para você — promete minha prima.

É um alívio ouvir o silêncio quando todos se vão. Deixo que meus pais e avós subam com Giovana, com a desculpa de que preciso dar uma organizada na área. Bem, é verdade, mas fico para trás porque Vicente ainda está aqui e quero muito abraçá-lo forte ao fim deste longo dia.

— Venha cá — chama ele, e eu simplesmente vou. — Você está com cheiro de fumaça.

— Não mais do que você.

O melhor dos imprevistos

Rimos, não nos importando com o odor.

— Você está bem, querida?

— Até que sim. Quando vi Felipe chegando, podia jurar que isso arruinaria meu dia. Agora eu sei que ele não tem essa capacidade.

Vicente se senta numa cadeira e me puxa para o colo dele.

— Que bom! É um alívio que aquele babaca não tenha estragado seu aniversário.

Eu me acomodo melhor e o beijo.

— Estou com saudade — confesso, cada dia mais louca por ele.

— De mim ou do meu corpo?

— Do seu corpo, é claro.

Ele deixa escapar uma risada gostosa.

— Vamos para o seu apartamento. Avise a todos que vou dormir no seu quarto.

— Ah, claro. Vai dividir a cama com vovó e vovô.

— Onde você vai dormir?

— Com Giovana.

— Eu posso ficar no chão.

— E que graça terá você lá, longe de mim?

— Longe? Você, Giovana e eu, isso é o que existe de mais íntimo na minha vida e o que mais quero.

36

Felipe

Gabriela parece ter duas caras, duas fantasias, uma que ela usa na frente de todo mundo e outra colocada especialmente para mim. Quando ela está num ambiente com outras pessoas, é alegre, simpática, agradável, bem-disposta e esbanja um humor contagiante. Eu desconheço quem não goste dela de graça. Comigo, o comportamento se transforma completamente. Está sempre calada dentro de casa, a expressão fechada, sem paciência.

Qual dessas duas Gabrielas é a verdadeira? Conheci a primeira, me apaixonei pela primeira, mas sinto que tenho vivido com uma pessoa diferente de uns tempos para cá. A Gabriela taciturna que mora comigo é quase uma estranha. Mas sei o que é. Ela não fala, mas está obcecada com a ideia de ser mãe. Eu só não entendo por que mudou de opinião agora, sendo que combinamos que não teríamos filhos antes de nos casarmos. Não deixei para expor meu ponto de vista depois do casamento. Foi uma decisão conjunta.

E não mudarei de ideia.

Ainda mais que já tenho uma filha. Não estava nos meus planos ser pai, mas ela existe e a cada dia me sinto mais encantado por

Giovana. Parece incoerência ser doido pela menina e não querer ter filhos com minha esposa, mas nunca sonhei com um matrimônio "pacote completo". Acredito que a vida a dois, apenas Gabriela e eu, é boa o suficiente. Um filho acrescentaria complicações com as quais nunca estive a fim de lidar.

E não sou um babaca por pensar assim. Ressalto: foi uma decisão conjunta.

Apesar de tudo isso, dessa fase sombria da vida conjugal, conhecer Giovana foi o que de melhor aconteceu na minha vida nos últimos tempos. Ela é uma menina tão vivaz, tão sagaz. Eu me distraio facilmente observando-a na escola, acompanhando seu desenvolvimento, ouvindo o que ela tem a dizer. E Giovana sempre se expressa muito bem.

É contraditório, eu sei. Não quero um filho com minha esposa. Mas desejo participar da vida dessa filha que nasceu do inesperado. Só não imagino como isso será possível.

Elza tem pavor da minha cara. Cada vez que nos encontramos, é um festival de nariz torcido, testa franzida, suspiros impacientes.

Gabriela, ao descobrir, provavelmente não reagirá muito bem — isso se eu for otimista. Por mais que tenha sido um caso de uma noite só, ela se sentirá traída, sim. Afinal, dormi e tive uma filha com a prima dela. Com qualquer outra mulher já geraria um problemão. Tendo sido com Elza, tudo isso se transforma numa situação ainda mais complexa.

Lembrar o que fiz na véspera do casamento me atormenta até hoje. Durante os anos de namoro, eu não fui um exemplo de fidelidade. Às vezes, especialmente quando Gabriela e eu brigávamos, usava essa desculpa para ficar com outras meninas. Não me orgulho disso, mas é o que é.

Elza foi a última. Foi assustador descobrir que ela é da família, que podia botar tudo a perder. Vivi desde então esperando o dia em que nos encontraríamos num almoço de Natal, num aniversário da avó, e ela, por descuido ou maldosamente, diria, como quem não quer nada, que nós dormimos juntos anos atrás.

Com o tempo, esse pavor diminuiu, até quase desaparecer. Mas o destino não aceitou o marasmo e resolveu nos colocar na mesma cidade, com uma filha crescidinha, fofa e adorável. Agora não sei como conduzir essa história. Não quero sumir da vida de Giovana. Adoraria que ela soubesse que sou seu pai, que saíssemos juntos para passear, viajar. Como, eu não sei.

Estou fazendo uma ronda pelos corredores da escola, perto da sala dela, só esperando o sinal para o recreio tocar. Não demora. Giovana sai carregando uma lancheira que tem a formato de melancia partida, conversando alegremente com alguns coleguinhas.

— Oi, tio — cumprimenta ela, assim que me vê. — Não, aqui na escola você é o diretor.

— Ele é seu tio? — questiona uma das crianças.

— Mais ou menos. — Giovana se prepara para explicar, armando uma doce expressão de quem sabe o que diz. — Ele é marido da tia Gabi, que é prima da minha mãe. As duas são netas da minha bisa.

Acho graça, sem demonstrar, porque não quero ofendê-la. As crianças ao redor indicam entendimento, movendo a cabeça, mas não tenho muita certeza disso.

— Estudaram bastante hoje? — pergunto, mas o que eu desejo mesmo é dar um abraço na minha filha.

— Infelizmente — resmunga ela. — Tchau, tio. Vamos lanchar.

Sem cerimônia, Giovana se afasta, tagarelando com os amigos, alheia aos problemas que me rondam.

Gostaria de ter uma solução, mas qualquer ideia que me surge tem pelo menos uma consequência ruim.

1) Deixo as coisas como estão e perco a chance de conviver com minha filha.

2) Conto a verdade para Gabriela e perco minha mulher.

— Giovana está acabrunhada no quarto dela desde que chegou da escola. Não foi para o banho, nem quis lanchar — relata Mirtes, demonstrando preocupação.

— Não disse o que aconteceu? — Acho estranho porque raramente ela se abate.

— Talvez esteja doente? — sugere Vicente, que veio para casa comigo depois do trabalho.

Nós três vamos até o quarto dela e a encontramos emburrada sobre a cama, ainda de uniforme, abraçada a um jacaré de pelúcia. Doente ela não está, tenho certeza. Descartada essa opção, só pode ter acontecido alguma coisa na escola.

— Que cara é essa, minha filha? — pergunto, sem fazer muito alarde. Ao longo de todos esses anos de maternidade, sei que existem muitos dramas que necessitam ser tratados com cautela.

Por outro lado, Vicente se joga na cama e beija a bochecha de Giovana.

— O que houve com minha menininha?

Depois desse paparico, ela se mostra mais manhosa. Mirtes troca olhares comigo. Minha filha se derrete pelos meninos, que vivem para adulá-la.

— Vai ter festa da família na escola — resmunga.

— Gente, então é isso? Todo ano tem, Giovana — lembro.

— Mas este ano a escola quer duas coisas diferentes. — Ela ergue o indicador. — Uma foto dos alunos com os pais. Os pais, entendeu? A mãe e o pai. — Toma fôlego, ergue agora o dedo e continua. — Os pais devem apresentar alguma coisa ou participar de algum jogo.

Entendo o motivo do desconforto de Giovana. Ela tem facilidade para administrar no dia a dia a inexistência do pai, mas nem sempre se sai bem. Claro. Ela é uma criança. Acho até que dá um show em se tratando de compreensão, visto que só tem sete anos.

— Meu amor, vamos pensar numa solução juntos — propõe Vicente. Mirtes e eu ficamos na expectativa. — No caso da foto, você pode levar uma de você e sua mãe. A escola disse pais, porque é um jeito meio comum que as pessoas têm de se referirem às famílias dos alunos. Mas se quiser mesmo arrasar, leve uma que tenha nós todos.

— Quem? — Giovana se interessa pela sugestão. Eu me derreto observando a cena.

— Quem sabe uma que fizemos no aniversário da mamãe? Está todo mundo lá! Você, ela, a Mirtes, nós quatro, vovó, vovô.

— Bisa e biso! — completa ela, abrindo um brilhante sorriso.

Vicente mantém a seriedade, mas será que ele sabe quanta doçura transmite?

— Sua grande família, Gio. No seu lugar, eu levaria uma foto assim.

— Tá bom.

— Sobre a segunda questão, acho que sua memória não está funcionando muito bem. Teve amnésia, é? — Vicente dá um peteleco na testa de Giovana. — Se for esse o caso, vou pedir para o Benjamim abrir sua cabeça para consertar as engrenagens.

Ela cai na risada, dobrando-se de rir.

— Eu não estou com amim... amim... Esse negócio aí.

— Se não tem amnésia, por que se esqueceu do "Fundo de Hospital"?

Solto uma exclamação sufocada. Não acredito que Vicente vai propor o que acabo de imaginar.

O melhor dos imprevistos

— Vocês podem dar um show na minha escola? — indaga Giovana, esperançosa, seus olhos saltando faíscas de encantamento.

— Hum, depende de quanto você vai nos pagar.

— Eu não tenho dinheiro. Bom, tenho uns oitenta reais.

— Quem disse que nosso pagamento será em dinheiro? — Vicente lança a questão no ar, fazendo mistério.

— Uai, vou pagar com quê, então? Dãããã...

— Pode ser com massagem no meu ombro quando eu estiver muito cansado.

— Isso é exploração, tio — acusa ela, com o dedo em riste, apontado para o rosto de Vicente, que o segura e finge que vai mordê-lo.

Os dois ficam de molecagem e o mau humor foi cancelado.

Mirtes parece embevecida com a cena, mas não mais do que eu.

Estou apaixonada por meu amigo, não apenas porque ele me faz tão bem. Além de tudo, ele dá amor de graça para minha filha, sem barganha. É um homem assim que tem valor para mim.

Mais tarde, Giovana está debaixo das cobertas, no sétimo sono, e eu, sozinha na sala com Vicente, com minha cabeça apoiada em um de seus ombros.

— Amo você.

— É claro. Sempre soube disso — responde calmamente, mas sinto que sua respiração muda.

— Não só como amigo. Também amo o Juliano, o Lucas e o Benja.

Ele se inclina e sustenta meu olhar no dele.

— Então, repita o que disse, por favor — pede, a voz um pouco embargada.

— Eu amo você.

Suavemente, Vicente beija meus lábios.

— Você quer dormir aqui hoje? — proponho.

— Não sabia que eu tinha que ir embora — retruca, brincalhão. — Até porque já me acostumei com esse sofá mesmo.

— Não aqui. Na minha cama.

— Sério?

— A gente fica quietinho e acorda bem cedo amanhã.

— Sou ótimo em me fingir de morto e acordar cedo é rotina — responde, o entusiasmo em pessoa.

— Não se finja de morto, eu imploro. Só não abra a boca.

— Não? Tem certeza disso? — Ele não perde a oportunidade de me provocar.

— Bem, abra a boca. Por favor, abra. Mas não emita nenhum som. Está claro agora?

Vicente se deita sobre mim e beija meu pescoço.

— Claríssimo!

...

Não vou mentir com o intuito de dar uma de evoluída, mas preenchi a ficha de inscrição para a participação dos pais na festa da família sentindo o doce sabor da vingança. Felipe, enquanto diretor, será o anfitrião do "Fundo de Hospital", terá de sorrir e acenar durante nossa apresentação, contentando-se com sua insignificância.

Giovana tem vivido dias de glória, pois acredita que a mãe dela e os tios são a atração mais importante da festa. Ninguém disse isso para ela, o que não a impediu de embarcar nessa ideia. E ainda há um bônus, para completar sua felicidade: Lucas se inscreveu para o Circuito Relâmpago de Esportes, nome pomposo, cujo simples signi-ficado indica que ele participará de alguns jogos entre familiares dos alunos. Ela o fez prometer que vencerá todas as partidas, promessa feita com a arrogância de alguém que confia muito no próprio tato.

— Gio, minha amada, confia no titio aqui. Todo mundo vai rezar para fazer parte da minha equipe — garantiu ele, provocando um frenesi emocional na menina.

Passei a infância com uma mãe com tendências ao negativismo, que fazia cobranças extremas, e com um pai alheio, que fechava os olhos para os exageros que eram cometidos dentro de casa. Cresci em uma família convencional, porém posso garantir que Giovana, apesar de nunca ter convivido com o pai, tem uma criação muito mais saudável e amorosa do que a minha, além de quatro figuras paternas

O melhor dos imprevistos

que, honestamente, representam esse papel com mais propriedade que muitos pais de verdade. Daria para passar a vida sem Felipe fácil, fácil, mas esse é meu ponto, enquanto mãe. Obviamente, a filha tem todo direito de pensar diferente.

A escola mandou fazer camisetas especiais para a festa da família, tanto para os alunos e professores quanto para os familiares. Só as cores variam. Estamos muito cômicos vestidos iguais: Giovana de camisa vermelha, os meninos e eu usando blusas azuis. Somos uma turma muito engraçada e diferente, que se destaca entre as demais famílias.

Eu, minha filha e quatro homens. Imagine se os curiosos não andam sussurrando por todos os cantos da escola.

"Qual deles é o pai?"

"Soube que são todos amigos e sócios. Vai ver ela já dormiu com todos e nem sabe quem é o pai da menina."

"Ouvi dizer que são irmãos e a menina é produção independente."

"Toda carinha de santa esconde um comportamento discutível."

Rumores que escutamos aqui e ali à medida que as pessoas se dão conta da nossa presença. Não é todo mundo que se presta ao ridículo, só uma minoria infeliz. Os meninos estão incomodados, por mim e por Giovana. Eu? Pouco me importo.

É a coordenadora pedagógica que nos acompanha até o lugar onde iremos nos apresentar em breve. Nem sinal de Felipe por enquanto, o que é um alívio. Espero que tenha acontecido um imprevisto e ele não possa aparecer.

— Elza! Quer dizer que teremos um show exclusivo hoje?— É a mãe socióloga que conheci meses atrás. Mas estou constrangida, porque não consigo lembrar o nome dela de jeito nenhum. Detesto quando a memória me trai desse jeito.

— Olá! — Trocamos três beijinhos no rosto, ao estilo dos mineiros. Travo no "olá", porque não sei como continuar sem um nome ao qual me referir.

— Que maravilha! Sua pequena deve estar toda orgulhosa.

— Ela adora nos exibir.

A socióloga dá uma conferida nos meninos, que estão organizando os instrumentos no tablado.

— Quem não gostaria, não é mesmo?

Ela abre um sorriso e eu a acompanho. Juntos, os quatro costumam provocar certa comoção.

— Desculpa, mas estou espremendo minha mente para tentar lembrar seu nome — falo francamente. Melhor do que fingir costume.

— Clara.

— Minha nossa, isso mesmo! — Bato na testa. — Não esqueço mais.

Conversamos um pouco mais, até que Clara é puxada pela filha, doida para passear pela escola com a mãe.

— Volto na hora do show — promete.

Um instante depois, Juliano comenta próximo ao meu ouvido:

— Não é estranho que o diretor não tenha aparecido ainda?

— Super. Parece até que está fugindo feito barata perseguida. Mas ele é o diretor. Deveria ser mais profissional.

— Pois é.

O céu parece ter nos castigado pela fofoca à boca miúda.

— Falamos cedo — diz Juliano, apontando o mais discretamente possível para a dupla que caminha em nossa direção.

— Elzinha!

— Gabi? — Era para ter pronunciado o nome dela em tom de feliz surpresa, mas saiu como uma indagação.

Minha prima acena com os dedos, cujas unhas estão pintadas de rosa e me enlaça num abraço tão logo a distância é encurtada o suficiente.

— Achou que eu ia perder a oportunidade de tietar vocês? — Sempre adorável, sempre. — Oi, meninos. Onde está a Gio?

— Correndo por aí com os colegas. Daqui a pouco aparece. Hoje ela está agindo como a empresária do grupo — conto. — Se tivesse acontecido algum imprevisto e um de nós não pudesse vir, ela surtaria.

— Que gracinha! Felipe, agradeça por ter uma aluna como a Giovana. — Gabriela diminui a altura da voz. — Graças a ela essa festa não será a chatice de sempre.

Felipe acena a cabeça para nós, mas não diz se concorda ou discorda da esposa.

— É a primeira festa da família dele aqui, mas as demais, nas outras escolas, sempre foram palco para exibicionismo de pais. Não dos talentos de alguns, quero dizer. "Eu sou isso, eu tenho aquilo, viajei para tal lugar", esse tipo de exibição.

— A exibição de hoje fica por conta do nosso pagode — assegura Benjamim.

— Para o desespero dos bobocas — conclui Gabriela, piscando para nós.

Felipe encerra o assunto ao assumir sua função como diretor, subindo ao tablado para agradecer a presença de todos em nome da comunidade educativa.

— Comunidade educativa é o quê? — murmura Lucas. — Gente educada reunida?

— Palavreado pedagógico — desdenha Vicente.

Faço "psiu" para eles. Sei que estão assim porque não suportam Felipe. Debochar é como um jogo, nesse caso.

Enquanto o discurso acontece, Giovana aparece, correndo contra o vento, e se joga nos braços de Gabriela, que a abraça com carinho. Não deixa de me surpreender como elas se dão bem, mais ainda o desprendimento da minha prima, frustrada por não poder ser mãe, presa a um acordo firmado anos atrás — do qual ela se arrepende —, mas incapaz de direcionar seu rancor a qualquer um. É o oposto. Ela canaliza a frustração estabelecendo um laço de amor com minha filha, uma criança que não é dela, não será e, mesmo assim, é benquista e amada por Gabriela. Eu a admiro e, se pudesse lhe dar um conselho, diria a ela que realizasse o sonho de ser mãe. Está certo, Felipe não quer. Então, que arranje outro jeito. Trata-se da vida dela também.

— Nossa vez, Elza. — Juliano me traz de volta à realidade.

Quando o cavaquinho de Benjamim chora, toda a "comunidade educativa" passa a ter um só foco de interesse, nós, o "Fundo de Hospital".

Acorda, criançada, tá na hora da gente brincar
Brincar de pique-esconde, pique-cola e de pique-tá, tá, tá, tá
Nessa brincadeira também tem pique-bandeira, amarelinha pra
quem gosta de pular
E aquela brincadeira de beijar.[21]

Lucas abre o show com seu vocal animado. Até quem parece desanimado movimenta nem que seja a cabeça ou bate o pé no chão, seguindo o ritmo. A criançada se anima, os adolescentes rondam, sem saber se entram na onda ou desdenham.

Giovana é puro êxtase. Não tiro os olhos dela. Conseguimos transformar o que antes era motivo de angústia, a festa da família, num momento de alegria total. Minha filha pula e fala e dança e distribui sorrisos. Várias pessoas brincam com ela, dizem coisas que a fazem rir. E Gabriela ali, bem ao seu lado.

Também me dou conta de que Felipe está embevecido, lá no canto dele. Como uma pessoa que é categórica ao assumir que não deseja ter filhos com a esposa pode olhar de modo tão doce para uma menina que, embora tenha seu sangue, ele pouco conhece? De um jeito ou de outro, Felipe está perdendo.

— Vamos chamar a pessoa que organizou nosso show na escola. — Lucas nos surpreende. — Giovana, venha assumir o microfone.

Quem imaginou que ela ficaria inibida, errou feio. Benjamim ajeita o pedestal para ela.

— Boa tarde. Hoje eu vou cantar... vou cantar... — Minha filha pensa por alguns instantes. — "Dança da vassoura"!

Eu sabia! Ela adora essa música.

Diga aonde você vai
Que eu vou varrendo

---

21 "Brincadeira de criança", composição de Délcio Luiz e Wagner Bastos, interpretada pelo grupo Molejo.

O melhor dos imprevistos

Diga aonde você vai
Que eu vou varrendo
Vou varrendo, vou varrendo
Vou varrendo, vou varrendo
Vou varrendo, vou varrendo
Vou varrendo, vou varrendo.[22]

Sinceramente, estava com muita preguiça de fazer essa apresentação na escola. Fui contagiada pelo entusiasmo de Giovana e pela boa vontade dos meninos. Mas a verdade é que está ótimo, muito divertido, relaxante até. Teria sido perfeito, caso algo inesperado não tivesse despertado uma sensação estranha em mim. Nada explícito, mas esquisito, para eu refletir mais tarde. Três ações sucederam simultaneamente:

1) Giovana soltava a voz com o Molejão.

2) Felipe a admirava abertamente.

3) Gabriela olhava de Felipe para Giovana e de Giovana para Felipe, como se estivesse tendo um lampejo de clarividência.

Como percebi isso? Testa enrugada e olhar de lince, duas expressões que não costumamos relacionar a Gabriela.

---

22   Composição de Délcio Luiz e Anderson Leonardo, interpretada pelo grupo Molejo.

38

Gabriela

Eu lia um livro deitada na minha cama quando Felipe saiu do banho. Na verdade, tentava assimilar o texto, porque não conseguia me concentrar de forma alguma, algo que sempre foi muito natural para mim. Estava lidando com muitas caraminholas acumuladas na minha cabeça.

Nem olhei na direção dele, que contornou a cama e veio se sentar do meu lado. A única coisa que cobria seu corpo era a toalha úmida. Já admirei muito o físico de Felipe, mas ultimamente não andava sentindo nada, a não ser vontade de ficar quieta no meu canto, sem ser incomodada.

Eu errei, errei muito ao topar aquele acordo estúpido antes do casamento, sendo que sempre adorei crianças. Como pude achar que meu desejo de ser mãe seria anulado em detrimento do amor que sentia por meu marido? Há casais que realmente não querem ser pais, um direito que as partes têm. Eu fiz parecer que não queria e agora estou nesse dilema.

— Você está cheirosa — disse ele, empregando na voz o efeito de quem esperava alcançar seus objetivos.

O melhor dos imprevistos

— Impressão sua. — Mesmo se eu estivesse exalando o odor do paraíso, teria respondido a mesma coisa.

Felipe soltou um suspiro desanimado.

— O que está acontecendo com a gente, Gabi?

— Nada. — Mas é tudo.

— O pior é isso. Você nunca diz o que é. Porra, Gabriela, fala de uma vez, porque não sou de ferro — explodiu Felipe, que tomou o livro das minhas mãos e o colocou sobre a mesa de cabeceira, fazendo um estardalhaço. — Faz semanas que você está assim, indiferente, mas nunca abre a boca para explicar por quê.

Pulei da cama feito um gato arisco. Eu estava fugindo do embate havia bastante tempo, mas Felipe me deu a deixa. Então, percebi que estava disposta a aproveitar a oportunidade.

— Eu quero ser mãe — assumi. — Quero muito ser mãe.

— Caramba, Gabriela, nós combinamos.

Felipe jogou a toalha longe e vestiu um short. Estava nervoso, mas seu estado não me refreou. Eu já havia me contido por muito tempo, justamente para evitar o confronto. No nosso casamento, sempre fui eu a que me retirava do conflito para evitar desdobramentos ruins. Mas aprendi que engolir é pior que enfrentar os riscos. Havia um sem-número de mágoas acumuladas dentro de mim. E, pior, a maioria das mágoas dirigidas a mim mesma.

Costumava brincar que andava pisando em ovos para manter nossa relação equilibrada. Mas pisar em ovos não é brincadeira nem favorece o equilíbrio. Só torna as coisas mais fáceis para uma das partes — e não é para quem opta por essa técnica, pode acreditar nisso.

— Nós combinamos, Felipe, mais de sete anos atrás. Embarquei na sua ideia, mas agora me arrependo completamente.

— Você se arrepende por ter se casado comigo?

— Meu arrependimento é ter dito "sim" a esse acordo — respondi, mais encorajada do que nunca.

— Se tivesse dito "não", o casamento não teria acontecido.

Eu o encarei boquiaberta.

— Desde quando o amor é feito de barganha? — cuspi o questionamento. — Sua condição era mais forte do que o sentimento que você dizia nutrir por mim? Um "não" teria sido determinante para fazer você desistir? É isso, Felipe?

Não foi fácil para ele encontrar as respostas. Custou a retomar a fala, apesar de ter ficado balbuciando frases ininteligíveis.

Quando eu era criança e discutia com alguma das primas, as mais espertas sempre alegavam ser mais inteligentes porque não perdiam as palavras na hora das réplicas. Pensando assim, estava com a vantagem na discussão. Voltei a dizer:

— Eu quero ser mãe.

— Gabriela, que loucura é essa? Vai parar de tomar o anticoncepcional escondido e me seduzir para conseguir o que quer e depois dizer que foi acidental? — Quis estapear o rosto de Felipe, mas refreei esse desejo irracional. Não perderia minha razão.

— Eu não preciso usar um subterfúgio tão baixo.

— Vai se separar de mim, então? Porque não quero uma criança... dentro desta casa.

Senti que ele titubeou. Eu estava mesmo só esperando mais uma deixa. Havia outra questão amargando meu paladar. Era uma situação recente, mas que me fez chegar a algumas conclusões plausíveis, ainda que fossem aparentemente improváveis.

Tudo começou na festa da família. O gatilho que despertou minhas dúvidas foi o modo como Felipe observava Giovana cantar. Está certo, ela era uma criança adorável, de tal jeito que era quase impossível ignorá-la. Mas, para alguém como meu marido, tão indiferente a crianças em geral, o embevecimento dele por Giovana me obrigou a fazer uma retrospectiva. Por ser cientista, dava um show no processo de análise de hipóteses.

No dia do nosso casamento, Felipe parecia incomodado. Não perguntei se havia algo errado, porque entendi que era somente um nervosismo natural. Quando voltamos da lua de mel, ele quis saber se toda a família estaria na cidade. Insistiu muito nesse assunto. Também não julguei como algo relevante na época.

O melhor dos imprevistos

Semanas depois, estourou a bomba de que Elza estava grávida de um desconhecido. O que correu na rádio-família foi que ela nem sabia quem era o pai da criança. Não dei importância alguma, porque não vinha ao caso se ela tinha alguém ou não. Além disso, estava envolvida com meus estudos, recém-casada, louca com a vida nova — no bom sentido.

Refletindo sobre isso agora, foi muito estranho ela ter se distanciado tanto de todo mundo. Eu também me distanciei, mas ainda assim aparecia de vez em quando para as festividades familiares. Ela nunca, nem nos casamentos que sucederam o meu, das primas que cresceram conosco. Nós nos reencontramos por acaso — é o que parece —, mas Elza jamais demonstrava tranquilidade perto de mim. Sempre cheia de desculpas, de sobressaltos, embora sentisse que ela parecia querer baixar a guarda de vez em quando.

Por fim, o último dado da análise foi a aparência de Giovana. Primeiro eu me considerei exagerada por imaginar tal coisa, mas eram nítidas algumas semelhanças físicas entre ela e Felipe, especialmente o nariz.

Comecei a achar tudo muito crível, mas esbarrava no "como".

Eu iria descobrir isso agora mesmo.

— Tudo indica que o problema é ter um filho dentro de casa — soltei. — Não sendo com sua esposa e não precisando morar com você, está tudo bem?

Desarmei Felipe completamente. E ao desarmá-lo, concluí que estava certa. E estar certa, nesse caso, doeu muito.

— Do que você está falando, Gabriela? — questionou ele, sem um pingo de arrogância agora. Eu o transformei num ratinho acuado.

— Quero entender como você e a Elza fizeram uma filha juntos.

Eu tinha uns oito anos e estava no sítio do vovô, como de costume nos fins de semana. Lá, não existia tédio. Nós, as crianças, inventávamos coisas para fazer que nasciam das mais improváveis oportunidades. Se fazia muito calor, aproveitávamos a sombra do majestoso bambuzal ou passávamos a tarde de barriga para cima sob as mangueiras frondosas. Se chovia, íamos brincar na enxurrada ou caminhar no barro, imaginando que era neve em vez de terra molhada. Subíamos o pasto para observar o gado ruminando — e descíamos de galope quando um boi mais nervosinho nos encarava soltando fogo pelas narinas. Irritávamos as galinhas, correndo atrás delas só pelo prazer de vê-las cacarejando agitadas. E havia as brincadeiras comuns também, como queimada, amarelinha, pique e bicicleta.

Não sei se naquela época a infância tinha um sabor mais mágico, se tudo era mais divertido. Cada fase tem seus prazeres. Mas fui muito feliz durante cada fim de semana e férias na roça, agindo ao sabor do vento, livre de normas e leis, porque lá éramos uma penca de crianças, um número grande demais para que os pais de cada uma conseguissem perceber todas as artes que aprontávamos.

Enquanto meu próximo paciente não chega, estou aqui no meu consultório, girando preguiçosamente sobre minha cadeira e

O melhor dos imprevistos

observando a cidade pela vidraça da janela. Lembrar-me da infância é consequência de não conseguir apagar da cabeça a imagem de Gabriela na festa da família.

Ela é uma pessoa especial. Aos oito anos — Gabriela devia ter uns treze, quatorze —, decidi fazer algo radical com minha bicicleta velha. Havia tempos que ela andava encostada dentro do barracão do sítio. Já não tinha pneus bons, um dos apoios para os pedais estava quebrado e os freios... Só descobri que os freios não funcionavam no momento em que mais precisei deles. Aí já era tarde.

As meninas mais velhas começaram a me provocar, afirmando que eu não teria coragem de descer o morro montada na bicicleta porque era a bebezinha da família.

— Elza é medrosa, Elza neném! — entoavam elas.

Meu sangue de criança provocada ferveu. Então, lá fui eu provar que não era bebê coisa nenhuma. Quando já estava no alto do morro, olhando para a descida que me aguardava, Gabriela me alcançou. Apareceu sozinha, vasculhando ao redor para verificar se as outras primas estavam por perto.

— Não vá, Elzinha. Essa bicicleta está muito velha. Você vai se machucar.

— Eu não sou neném! Já tenho oito anos!

— Deixa pra lá! A opinião delas não importa.

Gabriela insistiu, mas eu estava decidida. Sem lhe dar ouvidos, subi na bicicleta e parti. Foi uma descida medonha. Alcancei uma velocidade alucinante. Tentei ser salva pelos freios, mas os benditos freios não funcionavam de jeito nenhum. Gritei, esperneei e, no fim do morro, fui lançada para longe da bicicleta, atingindo o chão, que felizmente era de terra, com a lateral do corpo. Vi estrelas e, claro, abri o bocão para chorar. Foi um escândalo, que atraiu não só as primas provocadoras, mas os adultos também.

A não ser por algumas escoriações que sofri nos braços e nas pernas, além de um dente de leite bambo, fiquei bem, embora tenha tomado a maior bronca de todos os tempos. Minha mãe não me poupou.

237

À noitinha, encolhida na minha cama, desenxabida pela vergonha e humilhação, Gabriela chegou de mansinho, fez um carinho nos meus cabelos e disse:

— Não fica triste, não. Amanhã todo mundo já esqueceu.

Ela estava tentando me consolar, porque a história acabou virando folclore na família. Mas eu apreciei a boa vontade de Gabriela, foi a única, além de vovó, que se dignou a ter pena de mim.

Um sorriso saudoso se desenha na minha face adulta. Minha prima merece saber a verdade, ainda que ela me odeie para sempre. Posso viver o restante da vida sem a amizade dela. Aceitarei, se for esse o caso. Mas não dá mais para enganá-la, omitindo o que venho escondendo ao longo dos últimos sete anos.

Se tive coragem para descer um morro montada numa bicicleta sem freios, posso muito bem buscar essa Elza destemida lá da infância e enfrentar a realidade que posterguei por tempo demais.

Primeiro Gabriela, depois Giovana. Sem freios.

Enquanto me recordava do passado, recebi uma mensagem de Gabriela. Eu até teria ficado surpresa, se não estivesse acostumada com as coincidências que nos rodeiam.

Elza, podemos nos encontrar mais tarde? Pode ser na minha casa. Estarei sozinha.

Não me perguntem por quê, mas soube ao ler aquela mensagem que Gabriela já estava a par de tudo. Em vez de me desesperar, senti certo alívio. Eu encararia minha prima sem os olhares furtivos, sem ressalvas, por mais que ela viesse a me odiar depois.

Eu não queria contar nada para os meninos antes, nem para Vicente. Trabalhei o resto do dia procurando manter a mente focada nos pacientes, agindo sem levantar suspeitas. Não sei bem como explicar, mas não quis gastar as palavras que eu precisaria usar mais tarde na conversa com Gabriela.

E o mais tarde já é agora.

Minha prima me recebe no apartamento dela. Está abatida, pálida, com uma expressão que desconheço. Sinto-me culpada por lhe causar tamanho desgosto. Estranhamente, porém, não estou nervosa.

O melhor dos imprevistos

Ela mora num lugar aconchegante, reparo assim que entro. E também noto que é tudo muito arrumado e de bom gosto. Imediatamente me vem à cabeça: casa sem criança.

— Vamos nos sentar ali. — Gabriela me leva até uma sala transformada em escritório. As paredes são cobertas por prateleiras cheias de livros. Há uma escrivaninha no canto, e um pequeno sofá termina de compor o ambiente.

Eu me sento no sofá; ela, em uma cadeira.

— Elza, nem sei por onde começar — admite ela.

Movimento a cabeça, porque também não sei o que dizer, mas penso que seja minha obrigação tomar a frente.

— Gabriela, eu sinto muito.

— Sente muito? — Ela suspira. — Por quê? Por eu ter descoberto, por não ter me contado, por ter dormido com o Felipe? Por que você sente muito, Elza?

Meu coração está pesado no peito, mal consigo carregá-lo.

— Por isso tudo — afirmo.

Gabriela levanta a cabeça para ter condições de me encarar melhor. Estou um pouco intimidada, mas não desvio o olhar.

— Ouvi a versão de Felipe outro dia. Agora gostaria de escutar a sua. Tenho a impressão de que posso confiar mais na sua palavra do que na dele.

— Está certo. — Respiro fundo e começo o relato. — Vi Felipe nos últimos dias em Paraty. Minha turma tinha ido para lá com o intuito de comemorar a formatura. Ele estava tocando bateria em um bar. Eu o achei atraente, muito parecido com o Heath Ledger.

— Realmente — concorda Gabriela, mas ainda bem apática.

— Nós ficamos de paquera, trocando olhares e foi isso. Mas nos reencontramos no dia seguinte, de manhã, no centro histórico, e ele deu a entender que gostaria de me ver de novo.

Gabriela torce o nariz, parece estar enojada.

— Não vou mentir, fiquei empolgada. Ele era um homem charmoso, que tocava bateria, tinha um quê do meu ídolo juvenil e estava interessado em mim. Então, à noite, depois da apresentação da banda, nós saímos juntos. Bebemos umas coisas esquisitas numa barraquinha de rua e acabamos dormindo juntos. Quando acordei no dia seguinte, ele já tinha ido embora.

— Você deve ter ficado magoada.

— Eu não liguei, para ser sincera. Encarei tudo como uma ousadia a que jamais me permiti antes. Não me apaixonei por ele, não imaginei encontrá-lo de novo. Foi um acontecimento que na ocasião pensei ser despretensioso.

Minha prima baixa o olhar.

— Sinto muito por isso, Gabriela.

— Você não tinha como saber, Elza.

— Até essa parte da história, realmente me considero inocente. Mas aí veio o depois...

Ela não diz nada. Entendo que devo prosseguir.

— Foi um choque descobrir que o Felipe era o homem com quem você iria se casar, ainda mais que isso aconteceu poucas horas antes da cerimônia. A partir daí, eu me cobro por ter falhado com você, Gabi. Poderia ter lhe contado tudo naquele dia.

— Poderia.

— Sim. Mas me acovardei. Pelas aparências, preferi ignorar que, ao me calar, estava deixando você se casar com um traidor.

Para meu espanto, Gabriela solta uma gargalhada.

— Provavelmente não teria cancelado o casamento, Elza. Felipe já havia me traído antes. Sempre que brigávamos, ele ficava com alguém. — A cretinice dele é maior do que eu calculava. — Depois voltava com a desculpa de que estávamos terminados, por isso tinha saído com outras. — Ela ri de novo. — Não chegávamos a terminar, eram apenas brigas. Mas ele trazia a desculpa e eu a aceitava. Não me julgue.

— Não estou na posição de julgar ninguém, Gabriela. Olha só para a minha vida. Fugi para evitar os desdobramentos da realidade. Isso por acaso é louvável, é?

— Se fôssemos homens, não estaríamos tendo essa conversa — afirma ela. — Você carrega seu fardo, eu o meu, justo porque somos

O melhor dos imprevistos

mulheres. Pensando friamente, se você tivesse me contado o que houve em Paraty e o casamento fosse cancelado, dificilmente o peso das maiores condenações cairiam sobre Felipe. Diriam assim: "A culpa é dela, que dormiu sem conhecer o cara".

— Eu sei.

— Sabe o que realmente me magoa, Elza?

Como não me chamou de Elzinha nem uma vez, sei que está mesmo magoada. Não precisava nem frisar o óbvio.

— Você não ter me dito que o pai da Giovana é o Felipe. Independentemente de como pensou que eu reagiria, gostaria de ter ficado sabendo por você.

— Não vou tentar me explicar, Gabi. Mereço sua mágoa. A desculpa que me dei sempre foi "ainda não é a hora certa". Mas...

Há um momento de profundo silêncio. Nenhuma de nós faz outra coisa a não ser respirar e lidar com as próprias reflexões.

— Felipe te contou? — pergunto finalmente.

— Ele não teve escolha a não ser admitir. Deduzi sozinha. Esqueceu que sou PhD?

Foi uma tentativa de diminuir a tensão entre nós duas, mas não consegui achar graça, pois estou prestes a chorar. Odeio ter magoado Gabriela. De repente, as mãos dela tomam as minhas.

— Não é justo o sacrifício que você fez para me poupar, Elzinha.

— Voltei a ser diminutivo.

— Não sou uma heroína, Gabi. Minha fuga tem a ver comigo também. Não queria que o Felipe soubesse da Giovana, não queria ter que lidar com nada. Tudo o que fiz foi para me poupar também.

Ela assente. Sua expressão parece um pouco mais amena agora; ainda assim, não é a mesma Gabriela de antes. Claro! As verdades que caíram no colo dela não são fáceis de serem digeridas.

— Como você está? — pergunto.

— Honestamente, não sei, Elza. São muitos sentimentos duelando dentro de mim.

Gostaria de saber como foi a conversa com Felipe, mas não é uma questão que deva ser abordada agora.

— Gabriela, sinto muito por tudo. Eu me arrependo de cada instante que passei com Felipe e das decisões que tomei depois — digo com sinceridade. — Mas agradeço a existência da Giovana, então pode ser que minhas desculpas não sejam cem por cento sinceras.

— É claro. Isso é indiscutível.

Percebo que a conversa não vai evoluir mais. Gabriela se torna introspectiva, dando-me a deixa para partir.

Já estou na porta, quando ela toca no meu braço e pede:

— Gostaria muito de manter contato com a Gio.

— Claro. — Não me escapole que ela mencionou só minha filha. Se for o desejo dela não conviver comigo, aceitarei humildemente.

— Só me dê um tempo, Elza. Eu só preciso de um tempo para organizar essa nova realidade.

A serenidade tristonha dela me dói mais que palavras acusatórias gritadas. Hoje nem mesmo um samba remediaria esse clima desconfortável que se formou sobre nossas cabeças.

40

A casa dos meus pais no interior tem um quintal gostoso. É um lote adicional, onde poderia ter sido construída outra moradia, mas minha mãe preferiu manter a área verde. Tudo tem o dedo dela: a grama bem aparada, os pezinhos de beijo sempre em flor, as roseiras multicoloridas soberanas entre as outras flores, a parreira que cobre um dos muros como uma cortina de *voile* verde, o solitário pé de jabuticaba. Só o balanço dependurado em um robusto galho da mangueira plantada nos fundos é coisa do meu pai.

Estou sentada nele, movimentando-me preguiçosamente, sem ênfase, sem emoção, apenas uso os pés de vez em quando para manter a monotonia do balançar. Quando criança, gostava mesmo era de levantar voo, chegar ao limite de altura possibilitado pelos impulsos que fazia com as pernas. Nunca caí, mas vivia levando bronca de mamãe por me arriscar tanto. Papai nada falava, até porque a ideia do balanço tinha sido dele.

Eu me refugiei na minha velha infância tão logo pude. Não havia mais segredos para esconder, nem verdades a evitar. A tempestade que passei anos prevendo foi menos intensa do que imaginei, mas sugou minhas energias mesmo assim. Deixou um pouco de escombros, por assim dizer.

Minha mãe está passeando pela cidade com Giovana. Ela mal pôde acreditar que estávamos vindo quando liguei avisando. Expliquei para ela o motivo da decisão em cima da hora. Fiz um relato resumido e, desde que chegamos, ela não perguntou mais nada.

Contei a respeito da conversa com Gabriela e que, dois, três dias depois, Felipe me procurou também. Ele só esperou o caldo entornar para dar a entender que se importava. Apesar disso, eu o escutei. Foi um discurso bem manjado, como já esperava.

Eu o encontrei numa cafeteria num dia de semana à tarde. Abri um horário na agenda do consultório só para isso. Avisei aos meninos sobre o compromisso e todos se ofereceram para me acompanhar. Não tinha por que isso acontecer. Encontrar Felipe não era um grande problema, só uma coisa chata. Mas estava conformada de que ele estaria sempre presente nas nossas vidas. No momento em que ele me ligou, ficou claro como este céu do interior que Felipe não tinha a intenção de não ser o pai de Giovana.

— Elza, gostaria de incluir meu nome no registro de nascimento da Giovana. Também queria que ela soubesse que sou seu pai.

— Você tem certeza disso? Soube que nunca quis ter filhos. Por que faz questão de assumir essa paternidade, então? — Precisei fazer essas perguntas. Nada no mundo me obrigaria a submeter minha filha ao convívio com um pai que, em vez de fazê-la feliz por existir, acabasse bagunçando a cabeça dela.

— Nunca planejei ter filhos, Elza, mas Giovana aconteceu. Não conseguiria me olhar no espelho sabendo que sou pai de uma criança, mas fingindo que ela não existe.

— É por orgulho ou dor na consciência, então?

— Não! Assim que soube que Giovana é minha filha, ficou claro que a quero por perto, que quero participar da vida dela.

— Tenho medo de que você se canse de brincar de ser pai, Felipe. — Fui sincera. Eu tinha que dissolver todas as dúvidas. Nesse caso, não poderia sobrar um "e se" sequer.

— Nada disso é uma brincadeira para mim, Elza. — Ele ficou um pouco irritado, mas manteve o tom de voz sob controle. A cafeteria não estava vazia. — Eu te asseguro que serei um pai normal, presente, atencioso. Dou a minha palavra.

A palavra dele não valia muito para mim.

— Saiba, Felipe, que você tem que se comprometer com a Giovana. Não é para mim que precisa fazer juramentos. Se quer ser reconhecido como um pai de verdade, terá de incluí-la no seu cotidiano. Digo isso porque pai de fim de semana não faz verão. Entende?

Ele alegou que compreendia meus argumentos e que procuraria se dedicar ao relacionamento com a filha, de modo que criassem laços sentimentais verdadeiros, não somente uma relação de camaradagem, como ele estava acostumado a ver depois de anos sendo diretor de escolas.

— Conheço muitos pais de vitrine, Elza. Asseguro que não serei um deles.

O que eu poderia fazer? Negar esse direito a ele também implicaria no futuro de Giovana. Só pedi a Felipe um tempo, pois primeiro conversaria com ela. Serei eu a pessoa a revelar a verdade para minha filha. Não renunciarei a isso por nada.

...

— *Pai, como se conta para uma criança que o pai dela* não é um desconhecido, como sempre a fizeram acreditar?

Meu pai e eu estamos relaxando na varanda, esperando por minha mãe e Giovana, que ainda não voltaram do passeio. Ele tenta acertar a combinação do cubo mágico — não quero ser estraga-prazeres, mas não espero que ele consiga fazer isso —, enquanto me balanço na rede. Eu deveria comprar uma para pendurar na minha querida varanda.

— Você vai ter que começar para ver como a Giovana vai reagir. Acredito que não exista uma receita, né?

— Eu não sei é como começar, pai.

— Saberá, quando chegar a hora.

Suspiro, acostumada com a aparente indiferença de papai.

— Por que você sempre foi assim, tão alheio, quase apático? — pergunto por curiosidade. Não soa como crítica.

— Sua mãe teve opiniões e energia por nós dois a vida inteira, Elza. Ou eu ficava no meu canto ou jamais haveria paz dentro desta casa. — Ele deixa de pelejar com o cubo mágico por uns instantes e ri. — Não que tenhamos vivido num templo budista, né?

— Longe disso.

— Sei que você não teve vida fácil — admite ele. — Eu me culpo muito, sabe? Deveria ter tomado mais seu partido.

— Esquece isso, pai. São águas passadas.

— As coisas estão mudadas, nós mudamos muito com seu afastamento. Foi ruim demais, mas acabou sendo bom também.

— Bom? Por quê?

— Vimos que tínhamos que respeitar mais você. Senão a perderíamos de vez.

O modo como meu pai expõe seu ponto de vista é simples, mas muito tocante.

— Elza, não se preocupe tanto com a reação da Giovana. No meio disso tudo, será ela a pessoa que lidará melhor com essa história.

Foi só falar no nome dela, que as duas apontaram na esquina. Estão de mãos dadas, conversando, entretidas. O rabinho de cavalo de Giovana, cheio de cachinhos, saltita no alto de sua cabeça.

— Sua mãe aprendeu muito — declara meu pai. — Uma pessoa que muda assim, suavizando em vez de endurecer, tem seu valor. Porque você sabe, né, que gente velha piora à medida que fica mais velha.

— Pai!

— É verdade. Estou dizendo por experiência própria.

Eu me levanto e beijo sua cabeça quase careca. A textura de uma cabeça sem cabelo é muito peculiar.

...

— Você acredita que o shopping daqui não tem escada rolante, mamãe?! — Giovana está impactada com as diferenças entre

O melhor dos imprevistos

o interior e a capital. E olha que a cidade em que nasci nem é das menores. — Mas tem elevador, pelo menos.

— Ela está implicando com o tamanho do shopping — diz minha mãe, servindo o prato de Giovana.

Estamos os quatro reunidos em torno da mesa de jantar. Verdade seja dita, estou adorando esses momentos só nossos. Se bem que adoraria ainda mais se Vicente estivesse conosco. Ele se ofereceu para vir, mas achei melhor deixar para a próxima vez.

— O shopping é pequenininho, mas tem uma loja de brinquedos gigante. Não é, vovó?

— Estrategicamente localizada para atrair as crianças de olhos arregalados como o seu — brinca meu pai, cutucando Giovana.

A normalidade de uma vida tranquila é tão boa. Sinto que viveria uma vida inteira sem sentir falta de fortes emoções. Acordar, trabalhar, cuidar da minha filha, amar e ser amada por Vicente, conviver com os meninos, restabelecer os laços com a família, tocar samba, viajar de vez em quando... Isso tudo é bom o suficiente. Isso tudo é bem a cara da felicidade para mim.

Não sei o que me dá. Sou motivada por uma efervescência dentro do peito, uma vontade de encerrar de uma vez por todas esse ciclo de silêncio que começou sete anos atrás. Parto do princípio de que não preciso esperar a hora certa, porque nem sei se hora certa existe. Eu só necessitava de coragem para determinar que esse momento, o certo, enfim chegou.

— Gio, a mamãe tem uma coisa para contar — digo, cautelosa-mente, relanceando o olhar para meus pais. Pelas expressões deles, acredito que entenderam o que estou fazendo.

— O quê? — Ela liga o modo curiosidade. Se fosse uma formiga, as antenas estariam atentas.

Solto um suspiro, e meu pai me encoraja. Posso sentir que está me dizendo, ainda que sem palavras, que vou encontrar a maneira certa de revelar a verdade para Giovana.

— Existe uma história que você vai conseguir entender melhor quando for um pouco maior — começo. Ela me olha com expectativa.

— Eu já tenho sete anos, então... — argumenta ela, querendo demonstrar que já tem maturidade suficiente.

— Pois é. Com sete anos... — travo. A frase fica pela metade. Como chegarei ao âmago da questão?

— Com sete anos, as crianças ainda são crianças, mas mais espertas e conscientes do que quando têm seis, cinco anos ou menos. — Minha mãe me socorre. Pisco para ela, agradecida. — Por isso que os adultos não contam tudo para os filhos quando eles são muito pequenos. — Ela reduz o volume da voz, confabulando com a neta. — Criancinhas não entendem quase nada.

— Mas eu não sou mais criancinha! — defende-se, ofendida.

— Exatamente, não é? Então, hoje sua mãe pode te contar um segredo porque você já tem idade para entender. Certo?

— Não, porque ela ainda não falou.

Todos nós rimos da perspicácia de Giovana.

— Gio, se você quiser, se sentir vontade, na semana que vem, poderá conhecer uma pessoa que sempre quis saber quem é. — Eu vou comendo pelas beiradas, mas estou chegando lá.

— Uma pessoa que sempre quis saber quem é? — repete.

— Sim. Seu pai — finalmente digo.

Giovana esquece o garfo sobre o prato e arregala os olhinhos pretos. Meu coração é bateria de escola de samba no recuo da Sapucaí.

— Eu vou conhecer meu pai? Ele existe?

Seguro as mãozinhas dela, que estão frias e suadas.

— Ele existe, sim. Não faz muito tempo que o reencontrei, mas aconteceram algumas coisas, por isso que só agora podemos promover esse encontro — explico, torcendo para que minha filha passe por esse momento o mais suavemente possível. — Mas só se você quiser, Gio. Se não estiver com vontade, todo mundo vai entender.

— Ele é bonzinho?

Ela não precisa saber que ele não é o tipo de homem que mulheres como eu querem como parceiros. Mas imagino que não se sairá mal como pai, não depois que vi o quanto ele quer participar da vida de Giovana.

O melhor dos imprevistos

— Ele é bonzinho, sim.

Decido não revelar agora a identidade dele. Acredito que isso causaria mais ansiedade na minha filha.

— Você vai comigo, mamãe?

— Claro, querida. Será do jeito que você quiser — asseguro.

— Ah, então tá bom!

Dito isso, Giovana volta a dispensar sua atenção ao prato de comida, com a satisfação que demonstrava antes da conversa.

Mais tarde, quando a coloquei na cama, sonolenta, ela voltou ao assunto, perguntando no meio de um bocejo:

— Se vou conhecer meu pai, ele vai querer morar com a gente, mamãe?

— Não, Gio. Nem todos os pais moram na mesma casa, mas, mesmo assim, não deixam de ser pais dos filhos. — Generalizei, porque não vinha ao caso problematizar essa questão com uma criança.

— Que pena, né?

Meu coração aperta.

— Por quê, querida? Você gostaria que vivêssemos todos juntos?

— É que eu pensei que você ia finalmente namorar, mãe — declara ela, com os olhos se fechando de sono.

Giovana precisa saber sobre mim e Vicente o mais rápido possível.

41

Giovana

Contei para todo mundo da sala que meu pai é o diretor Felipe, mas um monte de gente não acreditou em mim. Então, na hora do recreio, os meninos e eu fomos na sala dele. Bati na porta, porque não seria educado já ir entrando. Mamãe avisou que na escola tenho que agir como aluna. Não é porque sou filha que sou privi... previ... privile... Ah, tipo, a preferida.

Ele abriu a porta e riu pra gente. Aí, eu já fui falando assim:

— Meus colegas não estão acreditando em mim. Não é verdade que você é meu pai?

Quando ele disse que sim, todo mundo ficou com cara de espanto. Achei bem-feito! Quem mandou não acreditarem em mim?

Assustei quando minha mãe me levou para conhecer meu pai. Não sabia que era alguém que eu já conhecia. Eles explicaram que se conheceram muitos anos atrás, mas não puderam ficar juntos. Isso eu entendi, uai. Ele é casado com a tia Gabi.

Meu pai é legal. Não quis ficar me abraçando toda hora nem apertou minha bochecha. Não gosto muito dessas coisas. Tem adulto que pensa que criança é igual bicho de pelúcia.

Ele perguntou um monte de coisa para mim. De qual comida eu gosto mais, se assisto desenho na televisão ou vídeo no YouTube. Ai, ai, muito engraçado. Gente adulta não sabe que as coisas mais legais estão no YouTube? Quis saber também se gostaria de passear só com ele de vez em quando. Eu acho que vou aceitar, sim. Meu pai é legal.

O chato é que toda hora mamãe me pergunta se estou bem. Acho que ela pensa que eu não gostei de conhecer meu pai. Já disse que não tem problema. Tenho sete anos! Já sei de muitas coisas.

Eu gosto de dançar as músicas que coloco no YouTube. Pedi para mamãe:

— Faz um vídeo meu? Quero mostrar para o meu pai que sou boa nisso.

Não sei por quê, ela ficou toda emocionada.

— Mãe, eu vou mandar o vídeo porque ele não me conhece direito. Mas não fica com ciúme. Pra você o show é ao vivo.

Recuo da bateria

Depois das festas de fim de ano, vou tentar convencer Elza a tirar uma semana de férias para que possamos viajar; ela, Giovana e eu. Aparentemente, o ciclo da angústia e do arrependimento se fechou. Agora todas as pessoas que precisavam saber a verdade já estão a par dela. O mais importante de tudo, no fim das contas, é a maturidade com que Giovana abraçou sua nova realidade. Isso tranquiliza todo mundo.

No entanto, o semblante de Elza não esconde de vez em quando um ar de tristeza. Ela não abre a boca para reclamar, mas sabemos o motivo. Gabriela não voltou a falar com Elza, não a procurou mais. Acredito que esse afastamento seja temporário. Aliás, todos nós pensamos a mesma coisa, que Gabriela precisa de um tempo, um tempo que é só dela, para talvez zerar a mágoa.

Elza não discorda, mas tampouco relaxa. Ela não diz, mas posso apostar que aceita sem lamentar porque se considera merecedora desse "castigo". O afastamento de Gabriela seria uma punição por não ter sido franca com a prima desde o princípio. Na verdade, o que ajudou a piorar seu estado de espírito foi a notícia que chegou a Elza por intermédio de dona Bete. A mãe de Gabriela ficou indignada quando soube da história. Parece que está estremecida com a família inteira, que saiu em defesa de Elza. Pelo menos isso a confortou, saber que os familiares não a condenaram e muitos chegaram até a procurá-la, oferecendo apoio.

Não é que Elza esteja deprimida. Na maior parte do tempo, o que vejo nela é alívio e alegria. Mas uma sombra tristonha a tem acompanhado, o que parte o meu coração. Portanto, gostaria muito de levá-la para um lugar bonito, onde pudéssemos ser apenas nós três, aproveitando normalmente como qualquer família comum.

— O doutor está ocupado?

Ela aparece no meu consultório sem aviso-prévio. Adoro ser surpreendido por Elza. Faço que não e movimento os dedos para que se aproxime. Ela entra, tranca a porta e vem se sentar no meu colo.

— Está toda carinhosa, minha menina.

— E quando não estou?

Nós nos beijamos. Quando o fôlego quase acaba, Elza diz:

— Juliano está disposto a contar para os pais que é gay.

— Nossa, que bom! Tenho certeza de que ficará tudo bem.

— É, mas ele gostaria que fôssemos juntos.

— A turma toda?

— Sim. Vamos para o fim de semana, mas a ideia é estarmos lá quando o assunto surgir — explica Elza, sem saber que a massagem que faz distraidamente na minha nuca vai me comprometer daqui a pouco.

— Estaremos lá então — falo, um pouco ofegante. — Amor, se continuar fazendo isso, vamos ter que cancelar os próximos pacientes.

Ela ri e me dá um tapa no ombro, saltando do meu colo.

— Sem chance! Tenho que me preparar para uma cirurgia daqui a pouco.

O melhor dos imprevistos

Elza anda em direção à saída, mas no meio do caminho para e me manda um beijo.

— Sabe que meus pais buscaram Giovana ontem, né? Ela está de férias, então vai passar uns três dias lá no interior com eles. Talvez você queira...

— Quero! — respondo apressado, adivinhando o que Elza iria propor.

Inesperadamente, ela tira uma penca de chaves do bolso do jaleco e joga para mim. Não diz nada, não explica do que se trata. Só dá uma piscadinha e vai embora. De repente, chaves passaram a ser o presente mais legal que já recebi.

42

Quando Giovana soube que iríamos para a cidade dos pais de Juliano no fim de semana, ela mais que depressa pediu para voltar para casa. Meus pais ficaram um pouco enciumados, então tive que agir com diplomacia, de modo que eles não se sentissem magoados.

— A Gio adora participar da bagunça que fazemos lá, gente. Não se preocupem, porque não é nada pessoal — apaziguei. — Ela me disse que adorou passar esses dias aí com vocês.

E eu não estava exagerando. Minha filha se dá muito bem com os avós. Mas tem paixão pelos tios e não os vê juntos há um tempo.

Vicente foi dirigindo meu carro e tagarelando com Giovana por todo o percurso. A conversa paralela deles me deu licença para que eu dialogasse apenas com meus próprios pensamentos. Minha vida chegou a um momento que sempre quis viver. O peso de um segredo guardado há muitos anos pode ser um fardo maior do que aparenta para os braços de quem não o carrega. Agora, livre dele, estou finalmente respirando sem me sentir sufocada. Quantas vezes me deitei, louca para dormir, e o ar me faltou, como se o caminho entre minhas narinas e o pulmão fosse quilométrico? Tenho respirado. Uma ação que passa despercebida para a maioria das pessoas foi meu calvário por um bom tempo. Mas finalmente tenho conseguido respirar.

A parte triste é ter perdido a amizade de Gabriela. Não houve rompimento oficial, mas um afastamento silencioso. Não a julgo por isso. Foram tantas oportunidades perdidas de dizer a verdade que eu, no lugar dela, talvez tivesse agido com muito menos benevolência. De todo modo, sinto falta dela, e Giovana também.

No entendimento simplista da minha filha, ela julgou que Gabriela seria como uma segunda mãe, já que está casada com seu pai. Mas até agora não houve novos encontros entre as duas. Certo é que nem ao menos sabemos se o casamento de Gabriela e Felipe se mantém firme. Ele convive com Giovana sempre em ambientes públicos. Ela nunca foi à casa do pai. Isso significa claramente que Gabriela não quer ser parte dessa configuração familiar. A mim, só me resta entender e respeitar a postura dela.

...

Faz um calor infernal, do tipo que incomoda até quem aprecia temperaturas altas, o que não é meu caso. Hoje só é possível ter ensaio do grupo depois do entardecer. Não consigo nem me imaginar tocando pandeiro e cantando alegremente neste clima abafado.

Quase todo mundo está largado dentro da piscina.

Daqui da vidraça da cozinha, confiro se Giovana manteve o boné na cabeça e a blusa que protege contra os raios ultravioleta. Fui bem irredutível quanto à obrigação do uso desses itens se ela quisesse nadar a esta hora. É quase meio-dia. Não só não aprecio sol forte em excesso, como achei mais educado ajudar Seu Roberto com o almoço. Hoje foi ele quem assumiu a cozinha, embora Dona Gorete esteja por aqui também, monitorando os preparativos e dando ordens.

— Melhor deixar uns pedaços de frango sem o quiabo, Roberto. Aposto que Giovana não gosta de frango com quiabo, gosta, Elza? — quer saber Dona Gorete, sempre atenciosa com todos nós.

— Não é muito fã, não, mas come.

— Não custa separar um franguinho para ela — diz Seu Roberto.

Juliano entra na cozinha enrolado numa toalha. Ele movimenta as sobrancelhas sugestivamente para mim, que estou sentada na mesa cortando o quiabo. Franzo a testa, porque não tenho certeza de que entendi a mensagem. Ele quer que eu fique, saia? Faça o quê?

Eu me movimento, já elaborando uma desculpa para escapulir, mas Juliano apoia as mãos nos meus ombros, mantendo-me no lugar. Um calafrio perpassa minha coluna. É a consequência da expectativa do que está por vir. Largo a faca sobre a travessa cheia de quiabo picado e coloco minhas mãos sobre as de Juliano. O que estou dizendo para ele, sem produzir nenhum som, é que ficarei exatamente aqui e que ele pode se apoiar em mim, física e emocionalmente.

— Juliano, você está pingando no meu chão — acusa Dona Gorete.

Ele enxuga melhor o corpo. Enquanto isso, introduz seu discurso:

— Mãe, pai, tenho uma coisa para falar. — A voz dele está tão trêmula. Temo que Juliano acabe passando mal.

Nenhum dos dois para o que faz para dar toda atenção ao filho. Para eles, deve ser aquele tipo de conversa estabelecida em cozinhas num dia de domingo, a família reunida cozinhando e falando.

— Certo, filho, pode dizer — incentiva Seu Roberto, sem parar de fritar os pedaços de frango.

— A gordura está espirrando no chão, Roberto!

— Nossa, Gorete, que fixação com esse chão!

Juliano suspira e recomeça:

— Gostaria de revelar algo a vocês. Podem me ouvir, por favor?

O que mudou a perspectiva deles, eu não sei, mas, de repente, nem chão, nem frango parecem muito importantes. Quatro olhos arregalados estão completamente focados em Juliano. Agora não tem mais jeito. O cenário é propício e já está todo montado. Aperto as mãos de Juliano. Meus dedos dizem: "Vamos, amigo, você consegue".

— Tenho medo de perder o amor de vocês. Eu amo e admiro muito esta família, por isso fui adiando o momento desta conversa.

Dona Gorete e Seu Roberto permanecem calados. É impossível deduzir o que passa na cabeça deles agora mesmo.

— Mas não posso mais esconder quem sou de verdade. É por isso que estou aqui este fim de semana. Não tem a ver com ensaio, com descanso, com saudade — admite Juliano, cuja voz está muito mais firme que no começo.

Tenho a sensação de que meu amigo não só encontrou a coragem para se assumir, como agora tem total convicção do que está fazendo.

— Quem é você de verdade? — indaga Dona Gorete. Tenho certeza de que ela já sabe, acabou de descobrir sem que Juliano tenha chegado ao ponto ainda.

— Sou Juliano, mãe, o mesmo de sempre. A diferença é que agora vocês vão saber que eu sou gay.

...

A primeira vez que ouvi a palavra "gay" foi quando um menino da minha rua gritou com outro que não quis completar o time de futebol. A contenda começou porque uma das equipes estava com um jogador a menos, mas nada foi capaz de convencer o menino a quebrar o galho daqueles que, se deixassem, passariam todas as horas do dia com uma bola rolando entre seus pés.

Eu era pouco mais velha que Giovana. Cheguei em casa e perguntei para minha mãe o que era "gay". Ela não só não me disse como me deu uma bronca por ficar dando ouvidos para a molecada da rua. Minha mãe de antigamente não reconheceria a de hoje em dia.

Foi na escola que, finalmente, entendi o termo. Fiz a mesma pergunta para a professora, que me explicou de maneira simples. Honestamente, não me lembro de ter considerado essa descoberta uma grande coisa. Encarei com naturalidade e hoje agradeço a essa professora por isso. Por causa dela, não cresci horrorizada ou torcendo o nariz. Por causa dela, abri minha cabeça para ouvir e aprender.

Obviamente, os pais de Juliano não tiveram a mesma oportunidade que eu. A geração deles não foi ensinada a reconhecer a pluralidade da raça humana. Mas eu sabia que, apesar disso, teriam sensibilidade o suficiente para apoiar Juliano quando chegasse o momento.

Primeiro veio o choque. Aqueles instantes de bocas abertas e olhares surpresos foram dramáticos. Mas, antes que eu interviesse — porque iria fazer isso —, Seu Roberto recobrou a fala. Se eu, que não era a protagonista daquela cena, estava apavorada, conseguia imaginar a ansiedade de Juliano.

Todos nós temos nossas lutas cotidianas. Isso é viver, conforme fui entendendo ao longo da vida. Mas que algumas dão a impressão de serem mais pesadas do que outras, ah, isso é inegável.

— Pode ser, meu filho, que você esteja sofrendo à toa — disse Seu Roberto, abandonando a panela no fogão. Sem estardalhaço, assumi a fritura dos pedaços de frango. Ele se aproximou do filho. — O samba me ensinou muito nesta vida, inclusive a não ter preconceitos. Cartola cantava "Oh, maldito preconceito afasta-te no ajeito, a que nada conseguirás, porque recebemos dos céus a bênção de Jesus, que é mensagem de paz."[23] Conhecem essa?

Faço que não, Juliano também.

— Pois é. Música é música, vida é vida. Mas podemos muito bem aprender com elas, em vez de fincar os pés na teimosia.

— Eu já imaginava — admitiu Dona Gorete. — A gente que é mãe sente as coisas. Muito difícil esconder os sentimentos de uma mãe.

Juliano olhava de um para o outro, um pouco confuso. Para mim, ele ainda não tinha entendido que seus pais estavam lhe dando todo apoio e amor.

— Mas está tudo bem para vocês? — quis se certificar.

— Juliano, que pai e que mãe não se orgulhariam de um filho como você? — disse Seu Roberto, puxando Juliano para um abraço.

— Responsável, carinhoso, amigo... — enumerou Dona Gorete.

Daquele momento em diante, depois de desligar o fogo e deixar o preparo do almoço para mais tarde, vi que minha presença ali não era mais necessária. Saí sem fazer barulho, emocionada e feliz por Juliano ter uma família tão maravilhosa.

---

23 "Preconceito".

O melhor dos imprevistos

Foi um dia intenso, todo mundo com a sensibilidade aflorada depois da conversa de Juliano com os pais. Assim que o sol foi embora, o "Fundo de Hospital" conseguiu ensaiar. Só tocamos sambas suaves e meio melancólicos dessa vez, apesar de não termos feito qualquer tipo de combinado. O samba falou por nós, se expressou conforme nossos sentimentos. Foi bonito, tocante, choroso, mas também feliz.

Quando a noite estava prestes a virar madrugada, exaustos, todos se recolheram, menos eu. Como de costume, vim procurar sossego e ar fresco aqui nos fundos da casa, sentada numa espreguiçadeira, enquanto contemplo o céu.

Quando pinta no terreiro uma lua prateada
eu me entrego por inteiro
não careço mais de nada
não preciso de dinheiro, basta a viola afinada
um tantã e um bom pandeiro
pra firmar a batucada. [24]

— Vicente! — exclamo. Levo as mãos ao peito para enfatizar o susto.

— Pensei nessa letra quando vi você de olho no céu. — Ele se reclina e me beija suavemente nos lábios. — Que dia, hein.

Comentamos um pouco os acontecimentos deste sábado, mais admirados do que nunca com os pais de Juliano, que sempre foram especiais para todos nós.

— Eles são incríveis. Para quem tem certa predisposição ao pessimismo, como Juliano e eu, é muito chocante perceber os problemas se desfazendo tão tranquilamente.

Vicente concorda e me empurra para o lado, a fim de se espremer junto a mim na espreguiçadeira estreita. Só foi possível caber nós dois porque agora estou praticamente deitada sobre ele.

---

24 "Todo mundo gosta / Lua prateada", composição de Arlindo Cruz.

Perscruto a área, conferindo se estamos mesmo a sós.

— A gente precisa abrir logo o jogo para o pessoal. Esse negócio de namorar escondido já não combina muito com nossa idade.

— Eu acho gostoso — retruco. — Parece que estamos de volta à época da escola e meus pais não podem nem sonhar que ando aos beijos com um garoto.

— Esse é meu ponto, Elza. Dois adultos bancando adolescentes — explica Vicente, rindo, soprando as palavras perto do meu ouvido. — E não estamos só aos beijos, né? Se realmente estivéssemos na escola, seus pais me matariam se soubessem o que fazemos.

Meus dedos passeiam sobre a blusa de Vicente, traçando círculos suaves em seu peito.

— Eles nos perdoariam, porque você é muito irresistível, Senhor Gostosão — afirmo. Meu corpo começa a esquentar, e nem é porque está fazendo calor.

— Que apelido ridículo.

— Mas assuma que gostou do "gostosão".

Ele nem responde. Segura meu rosto e me beija, profunda e apaixonadamente. Até que...

— Mãe!

Achei que estivesse ouvindo coisas, mas aí, de novo:

— Mãe! Gente, minha mãe está beijando!

Dou um pulo quase acrobático da espreguiçadeira só para ver Giovana parada a uns passos de distância, saltitando e batendo palmas, ao mesmo tempo que entoa:

— Minha mãe está beijando o tio Vicente! Minha mãe está beijando o tio Vicente!

Claro, não demorou muito para toda a casa despertar. De uma hora para outra, todos apareceram, sonolentos, assustados e, por fim, perplexos — exceto Juliano, que já sabia de tudo.

— Dá para vocês pararem com essas surpresas? — exige Lucas, apontando em todas as direções. — Pelo pé que as coisas estão, vou ter que inventar uma bomba para soltar sobre as cabeças de cada um, só para vocês verem como é bom.

43

— O de sempre, Juliete — avisa Benjamim.
— E precisa me lembrar disso? — retruca a dona do restaurante, cansada de saber que não variamos nossos pedidos. É um costume tão antigo, que é como se o restaurante fosse a nossa própria cozinha.
— Precisei intubar o paciente. Não esperava que ele fosse reagir assim. Estou preocupado — comenta Lucas, a respeito de uma situação que ocorreu mais cedo.
Nós o ouvimos e acrescentamos opiniões à medida que o assunto se desenvolve.
— Estou chocada que vocês dois estejam juntos — diz Juliete ao deixar nossos pratos sobre a mesa. — Eu sou macaca velha, enxergo sinais a quilômetros de distância. Mas nunca percebi o interesse de um pelo outro. Acho que meus instintos andam falhando.
— Não é isso, não, Juliete. É que a Elza e o Vicente entenderam que era mais divertido brincar de médico às escondidas. — A ironia de Lucas arranca risadas de todos.
Depois que Giovana nos flagrou, foi um falatório geral e um festival de cobranças. Sobrou até para Juliano, por já saber de tudo e ter mantido a boca fechada.

— Nos últimos tempos, tem sido assim — demonstra Lucas, o mais indignado de todos. — Juliano esconde que é gay, mas não se importa de contar para a Elza. Benjamim diz que é bissexual, mas só Juliano fica sabendo. O Vicente carrancudo se declara para a Elza e os dois começam a se pegar até na clínica, mas a novidade é compartilhada só com o Juliano. Tem um trem errado aqui. Como não tenho nada a revelar, também não tenho nada a saber?

Espalho vários beijos no rosto de Lucas, com a intenção de adulá-lo um pouquinho.

— Você se esqueceu de acrescentar nessa sua lista que o Juliano e eu ficamos outro dia, ou melhor, tentamos ficar, mas acabou sendo tudo tão esquisito que decidimos ficar só na amizade mesmo.

Poucos dias atrás, eles nos contaram sobre a tentativa de firmarem uma relação amorosa. Ouvi Benjamim expor tudo, divertindo-se com a narrativa, ressaltando a estranheza que foi, mas não tirei os olhos de cima de Juliano para ver se o sentimento era compartilhado. Mais tarde, eu o encontrei no terraço da clínica e pedi para ouvir a versão dele. E me surpreendi com o que escutei:

— Foi estranho de verdade, Elza. Tomei a iniciativa ao dizer para o Benja que sentia uma atração por ele. Então, nós ficamos juntos, até certo ponto, porque, de repente, estávamos rindo e achando tudo esquisito. Serviu para eu me entender mais um pouco e começar a me abrir para novas possibilidades. Mas foi ótimo. Gosto de homens e sei que uma hora dessas vou encontrar alguém especial. E pode confiar em mim, esse alguém definitivamente não é o Benjamim.

— O que é isso, José? — brinca Benjamim. — Não fique bravinho. Coisas que acontecem mesmo. Normal.

— É, acontecem, sim. Tenho um segredo e não vou dizer para ninguém. Só para... Juliete!

— O que tem eu?

Rimos muito outra vez.

— Nem parece que somos pessoas na casa dos trinta, com muitas responsabilidades nos esperando no trabalho — fala Juliano. — Assim a gente faz estudantes do ensino médio parecerem adultos maduros.

— E quem se importa? — Lucas joga um palito em cima de Juliano.

— Não comece com essa criancice.

Um dos telefones toca. Como sempre, todos eles estão sobre a mesa e nós cinco reagimos do mesmo jeito.

— É o meu — digo e mostro para eles o nome que aparece na tela. — Gabriela?

...

Ela passa pela porta com um sorriso aberto e um presente lindamente embrulhado para Giovana, que não demora nada para desfazer a embalagem e conferir o que estava lá dentro.

— Olha, mãe, que lindo!

Minha filha mostra o conjunto que acabou de ganhar.

— Posso usar agora?

— Experimenta e depois guarda. Roupa nova e bonita é para sair. — Mas ela já está lá no fim do corredor, nem me dá confiança.

Convido Gabriela para nos sentarmos na varanda, onde já deixei um lanchinho preparado para nós. Estou aprendendo direitinho a agir como uma típica anfitriã mineira. Não importa o teor da conversa, sempre haverá comida na mesa.

— Adoro seu apartamento. É tão cara de lar! — elogia ela, com o astral antigo, não igual ao da última vez em que nos encontramos. — O meu, como você sabe, é aquela vitrine de *show room* estrategicamente planejado por alguém que não mora lá. Engraçado pensar nisso, né?

— Seu apartamento é lindo, Gabi. — Sou sincera.

— Mas frio. Gosto mais do calor do seu.

Compreendo aonde ela quer chegar.

— Uma casa com criança tem cara de lar. Isso que quis dizer.

— E pegadas da referida criança por todo lado — acrescento, rindo. — É brinquedo, resto de biscoito, chinelo, toda hora a gente esbarra numa coisa fora do lugar. Ou várias.

— Normal. Um dos pontos positivos de ser criança é ter licença para ser despreocupada assim. Não lembra como éramos?

— Lembro bem que minha mãe não aceitava um lápis fora do lugar.

— A minha também não. — Gabriela revira os olhos. — Mas na roça não tínhamos lei. Vovó nunca se importou com nossas bagunças.

— Acredite quem quiser, ela é a mãe daquelas duas cabeçudas.

Nós rimos, saudosas. Mas, ao me recordar do passado, também lembro que tia Maza está furiosa comigo. Meu semblante se fecha.

— Elzinha, vim aqui para colocarmos os pingos nos is — informa Gabriela, sem rodeios. E prefiro assim. — Tirei um tempo para mim. Eu precisava pensar e procurar uma saída para algumas dúvidas. Foi importante me afastar de todo mundo. Pareço impulsiva, mas sou bastante analítica.

Giovana aparece na varanda vestindo o conjunto novo.

— Olha, gente, serviu direitinho. — Ela rodopia para se exibir.

— Está uma lindeza, Gio, acertei direitinho no tamanho.

— Posso ficar um pouquinho com ele, mamãe?

— Só um pouquinho. Não deixe sujar.

— Eba! — Vibra e sai correndo de volta para o quarto.

— Ela é sempre uma graça.

— E cada dia mais linguaruda. Não sei como vou dar conta dessa menina quando estiver na adolescência.

Gabriela sorri.

— Soube que a Gio está se dando bem com o pai.

— Sim, eles estão progredindo rápido. — Sinto certo desconforto. Ainda não me acostumei completamente com Felipe como uma presença constante nas nossas vidas. — Ela gosta dele, sinal de que ele a trata bem.

— Sabe, Elza, Felipe não é um sujeito ruim. Fez muita coisa atrapalhada no passado, mas é um adulto responsável. Como pai da Giovana, acredito que se sairá muito bem. É nítido que ele a ama muito. Não se preocupe.

Ela dá tapinhas afetuosos na minha mão.

— Mas... — encorajo. Sei que existe um porém na sequência dessa declaração.

Gabriela respira fundo.

O melhor dos imprevistos

— Mas percebi que não é o homem com quem quero viver.

— Vocês estão se separando? — questiono. Impossível esconder o quão surpresa fiquei.

— Nós queremos coisas diferentes. E mesmo que ele topasse ter um filho, pensando bem, não quero viver com uma pessoa que me traiu na véspera do nosso casamento e não me contou. São águas passadas, mas penso que merecia ao menos a sinceridade dele.

— Eu também não contei — digo, voltando a me culpar.

— Você foi vítima nessa história, Elzinha. Foi ele que não avisou que era comprometido. E ainda que você tivesse perguntado, duvido que no calor do momento ele teria lhe dito a verdade.

— Bem... se é assim, posso esperançosamente acreditar que seremos muito amigas daqui em diante?

— As melhores. Diga para aqueles quatro lá que não vou facilitar a vida deles, não.

Fico emocionada, mas para não ser explícita, conto sobre Vicente e eu, o que deixa Gabriela maravilhada.

— Que sortuda, você! Um homem lindo daquele, em quem você pode confiar de olhos fechados, além de louco por sua filha. Olha, acho até que estou com inveja.

Permito que a felicidade tome conta de mim. Se Gabriela nunca mais quisesse falar comigo, viveria bem do mesmo jeito. Depois de tantas emoções, sou especialista nas reviravoltas que a vida dá. Quase nada sai exatamente como planejamos. Mas ela está aqui, contente, mudada, confiante, nos dando uma nova oportunidade quando eu já dava como certo nosso rompimento.

— Vou tentar ser mãe, Elzinha — comunica, quando a lua já está alta no céu. — E não vou esperar encontrar alguém para que meu sonho se realize. Decidi fazer inseminação artificial o mais rápido possível. Depois, se aparecer uma pessoa legal e aceitar esta mulher independente aqui, com um filho a tiracolo, a gente vê. Não vou entregar esse sonho nas mãos de ninguém, nunca mais.

Fico encantada com a decisão dela e ressalto que Gabriela terá sempre a mim como apoio.

— Claro! Em quem mais vou me espelhar? Elzinha, você é o meu modelo de coragem.

— Fico lisonjeada. Mas melhor se preparar desde já, hein. Maternidade não é uma nuvem fofa cor-de-rosa cheia de amor, como pintam por aí.

Giovana volta, ainda com a roupa nova, o que prova que ela desobedeceu deliberadamente a minha ordem.

— Está vendo, Gabi? Olha só a audácia dessa criatura.

— Não, mamãe, já vou tirar — promete minha filha, fazendo cara de anjo. — Só vim falar para a tia Gabi que, se ela quiser dormir aqui, pode ficar no meu quarto. Sabe por quê? Já está tarde.

Gabriela esmaga Giovana, que se dobra de rir.

Volto a dizer: nada mais feliz do que uma vida comum. Está bom demais assim.

44

Benjamim

Entreguei a lista de músicas para o pessoal, mas Elza já está discutindo que não coloquei Clara Nunes o suficiente. Fiz isso para não espantar o público. Quando Elza se mete à Clara, nós sempre nos arrependemos de não termos pensado em distribuir protetores auriculares para a plateia. Mas ela insiste e, no fundo, nós adoramos pegar no pé dela.

Sou conhecido como o cuca fresca da turma e, admito, sou mesmo. Depois do acidente então, nada me tira da cabeça que precisamos saber viver bem, pois, de repente, podemos perder tudo. Esse pessoal aqui, meus amigos, são tudo para mim. O que nos une é amor, um amor raro que nos conecta há tanto tempo e nos manterá assim pela vida afora. Temos cada vez mais motivos para estarmos juntos.

— Você pirou, Benjamim? — Elza engancha as mãos na cintura, fazendo cara de indignada. — Tem música nessa lista que não é nem samba, nem pagode.

— Qualquer coisa pode virar samba, Elzinha. Então, relaxa e "deixa acontecer naturalmente".

Lucas

O médico preto que quase sempre é confundido quando um paciente novo marca consulta venceu. Sou sócio da minha própria clínica, faço o que quero, dou orgulho aos meus pais, tenho os melhores amigos do mundo. E acho que sou o mais descomplicado da turma, porque não levo a vida tão a sério.

O que quero dizer é que a vida é bastante preciosa para ser estragada com pesos que nem sempre são possíveis de carregar. Fardo pesado demais eu largo para trás. Trabalho, mas me divirto. E estar aqui com todas essas pessoas, prestes a tocar um pouco de samba e pagode, é privilégio para poucos.

— Ô, Lucas, já sabe qual é a primeira, né? — verifica Benjamim, hoje dando um de agente do grupo. Já respondo cantando:

Erga essa cabeça, mete o pé e vai na fé
Manda essa tristeza embora
Basta acreditar que um novo dia vai raiar
Sua hora vai chegar.[25]

Juliano

Foi bom ter tido coragem para me apresentar como quem realmente sou. A despeito do preconceito que existe e ainda é muito forte, vou seguindo minha vida atualmente de uma forma que jamais imaginei ser possível.

Voltei outras vezes à boate em que estive com Elza antes. Conheci pessoas, estou me permitindo. Benjamim tem me ajudado também, embora seja impossível ficarmos juntos. Quando tentamos

---

25   "Tá escrito", composição de Carlinhos Madureira, Xande de Pilares e Gilson Bernini, interpretada pelo grupo Revelação.

estabelecer um relacionamento, percebi que fantasiei a respeito dos sentimentos que nutri por ele. Pensar que amava meu amigo como homem foi um importante passo para o meu processo de autoconhecimento.

Tem sido revelador. Não é fácil passar tolhido por essa vida. Ela já não dá tréguas normalmente. Por isso, entendi que precisava abandonar alguns pesos. Agora procuro me concentrar nos aspectos que tornam a estadia por aqui mais agradável. Como aquelas pessoas ali. Sou um sujeito sortudo.

A amizade
Nem mesmo a força do tempo irá destruir
Somos verdade
Nem mesmo este samba de amor pode nos resumir.[26]

Vicente

De repente, parece que tudo passou a dar certo para todo mundo. Mas não é isso. Cada um de nós lutou algumas batalhas nos últimos tempos e vencemos. Então, agora estamos aproveitando os bons resultados da vitória. Merecemos, eu acho.

Elza, Giovana e eu vamos viajar juntos pela primeira vez. Em alguns dias, seremos só nós três num lugar gostoso, especialmente escolhido por Giovana entre algumas opções que lhe demos.

— Quero ir para a praia, por favor, tio, praia!

Mineiro que é mineiro tem certa loucura pelo litoral. Faz parte do nosso "DNUai". Não custava fazer a vontade dela, que não deixava de ser a nossa também, desde que o lugar não fosse badalado demais. Só queríamos paz e sossego.

---

26 "A amizade", composição de Bicudo, Cleber Augusto e Djama Falcão, interpretada pelo grupo Fundo de Quintal.

Giovana torce pelo meu namoro com a mãe dela. Seus olhinhos brilham quando ela nos vê de mãos dadas. E se flagra algum beijinho, então, nossa. É a glória. Sou louco por ela. Sou totalmente louco por elas.

— Ei, amor! — Elza me chama, toda manhosa. — Diz para esses patetas aqui que podemos, sim, incluir Clara Nunes na lista.

— Não faça isso, querida. Clara não merece.

Ela bufa, mas não se acanha. Pega o microfone e a capela mesmo solta a voz:

Baiana boa gosta do samba
Gosta da roda e diz que é bamba
Baiana boa gosta do samba
Gosta da roda e diz que é bamba. [27]

Elza

Não me propus a contar uma história épica, nem avassaladora. Eu conto a vida, que é simples por si só. Complicado é como nós vivemos, às vezes. Este é meu cotidiano, as pessoas do meu dia a dia, minha rotina.

Sou mãe, mas não acredito na romantização da maternidade. Colocar um filho no mundo não nos faz mais mulheres do que as demais. Não somos heroínas — bem, algumas até são mesmo. Não é meu caso, porém, está longe de ser. Não existe fórmula mágica para criar um ser humano. Um dia leva a outro, que leva a outro, a outro... Algumas coisas funcionam, então as aproveitamos mais. Outras dão tão errado, que fazem com que nos sintamos as piores das criaturas. É um tal de "então tenta e vai" contínuo. Mas não

---

27 "Ê baiana", composição de Fabricio da Silva, Baianinho, Enio Santos Ribeiro e Miguel Pancracio, interpretada por Clara Nunes.

existe nada que nos deixe mais contentes do que a consciência de que acertamos de vez em quando. Uma mãe é capaz de entrar em êxtase quando sente que algo está funcionando.

Ando muito animada ultimamente. Longe de mim acreditar que agora tenho uma vida perfeita. Como disse antes, isto aqui não é um relato ultrarromântico inspirado na realidade. É apenas minha vida, como a de qualquer outra pessoa.

Giovana está bem ali, no colo da minha mãe, que conversa com Gabriela, que concorda com alguma coisa dita por meu pai.

Lucas ajeita o pedestal, Benjamim afina as cordas do cavaquinho, Juliano confere se os instrumentos estão no lugar certo, Vicente me rouba um beijo.

Não podemos prever o futuro. Talvez amanhã tudo mude de novo, de uma hora para outra. Mas pelo menos o agora tem sido bom demais e vou me permitir vivê-lo com esse sorriso que não me larga mais, porque dou valor para tudo o que tenho.

— Pessoal, desculpa, mas escutem essa música. — Aumento do áudio do meu celular. — Não é bem um samba ou pagode, mas estou apaixonada por ela. É a nossa cara. Ouçam:

Quem tem um amigo, tem tudo
Se o poço devorar, ele busca no fundo
É tão dez que, junto, todo stress é miúdo
É um ponto pra escorar quando foi absurdo
Quem tem um amigo, tem tudo
Se a bala come, mano, ele se põe de escudo
Pronto pro que vier, mesmo a qualquer segundo
É um ombro pra chorar depois do fim do mundo.[28]

---

28 "Quem tem um amigo (tem tudo)", composição de Emicida e Wilson das Neves, interpretada por Emicida com participação de Zeca Pagodinho.

Primeira edição (setembro/2021)
Papel Ivory 65g
Tipografias Bahagia e Lora
Gráfica LIS